FROMAGES

SYLVIE GIRARD

FROMAGES

LE GUIDE *Hermé* POUR

les connaître, les choisir,

les déguster, les cuisiner,

et les conserver.

641.373
G518f

33,913

Si vous souhaitez être tenu au courant
des publications de l'éditeur de cet ouvrage
il vous suffit d'adresser votre carte de visite,
ou vos nom et adresse, à :
Éditions Hermé
3, rue du Regard, 75006 Paris.
Vous recevrez régulièrement,
sans engagement de votre part,
nos catalogues et bulletins d'informations
sur toutes nos nouveautés.

Collection « *Les guides Hermé* »
dirigée par Marie Garagnoux

Couverture :
photographie de Alain Lantz
et documents C.I.D.I.L.

Dessins de Isabelle Molinard

Direction éditoriale :
Jean-Jacques Brisebarre
Fabrication : William Baguet
et Claire Svirmickas
Maquette : Daniel Leprince

© Éditions Hermé, 1986
3, rue du Regard, 75006 Paris
et C.I.D.I.L.
27, rue de la Procession, 75015 Paris
ISBN : 2-86665-029-8
ISSN : 0296-7421

SOMMAIRE

5

LE TEST GASTRONOMIQUE

*On adore tous les fromages
sans restrictions.
Ou bien on en mange par habitude.
On est fanatique de Fourme d'Ambert,
d'Époisses ou de Valençay.
Ou bien on grignote distraitement
des portions de Vache qui rit...
On choisit d'un œil averti une portion
de Brie ou un Crottin demi-sec.
Ou bien on demande à son fromager
« un bon Camembert pour ce soir ».
Le continent fromage réserve d'insolites
et savoureuses surprises :
testez votre quotient gastronomique
en répondant au questionnaire suivant.
Compter un point par réponse juste.*

1. La **Cancoillote** est :

☐ A) Une danse folklorique du Centre de la France
☐ B) Une spécialité fromagère de Franche-Comté
☐ C) Une faisselle en forme de petit panier

2. Le nom du **Reblochon** vient d'un verbe du patois savoyard, « rablachr », qui veut dire :

☐ A) Resquiller une partie du lait
☐ B) Traire les vaches à la tombée du jour
☐ C) Se dépêcher de traire les vaches

3. Des trois orthographes suivantes, laquelle est la bonne ?

☐ A) Emental
☐ B) Emmenthal
☐ C) Emmental

4. Le **Stilton** est un fromage « bleu » anglais réputé que l'on déguste traditionnellement en buvant :

☐ A) Du thé de Ceylan
☐ B) Du porto
☐ C) De la bière brune

5. Le **Petit-Suisse,** fromage frais français :

☐ A) Fut inventé par un vacher suisse installé en Normandie à la fin du siècle dernier.
☐ B) Fut présenté pour la première fois à Paris par les Suisses à l'Exposition universelle de 1900.
☐ C) Était fabriqué à l'origine avec du lait de vaches suisses.

6. Pour avoir le droit de s'appeler **Roquefort**, ce fromage de brebis à pâte persillée doit obligatoirement :

☐ A) Etre fabriqué avec du lait de brebis élevées à Roquefort
☐ B) Etre affiné dans les caves de Roquefort
☐ C) Etre fabriqué, affiné et emballé à Roquefort.

7. « Un dessert sans fromage est une belle à qui il manque un œil » : ce célèbre aphorisme fut prononcé par :

☐ A) Léonard de Vinci
☐ B) Brillat-Savarin
☐ C) Sacha Guitry

8. Le **Caprice des Dieux** fut « inventé » en :

☐ A) 1956
☐ B) 1960
☐ C) 1965

9. La **Pétafine** est :

☐ A) Un alcool de fruit que l'on boit en Auvergne avec la fourme
☐ B) Une brindille sèche dont on se sert pour fouetter le lait caillé
☐ C) Un fromage aromatisé du Dauphiné

10. La **Mozzarella** authentique se fabrique en Italie avec du :

☐ A) Lait de jument
☐ B) Lait de vache très jeune
☐ C) Lait de bufflonne

11. On appelle **buron** :

☐ A) Un petit fromage de chèvre provençal aux fines herbes
☐ B) Un bidon à lait à deux anses d'une contenance de 25 litres
☐ C) Une petite hutte de berger en Auvergne, où l'on fabrique le fromage artisanalement.

12. Le **Brie** fut proclamé « roi des fromages » par :

☐ A) Charlemagne en visite dans une abbaye de bénédictins de la Brie
☐ B) Louis XIII qui en faisait porter aux personnages qu'il voulait honorer
☐ C) Par Talleyrand lors du Congrès de Vienne

13. **Marie Harel** était :

☐ A) Une employée de laiterie qui inventa un système de collecte du lait accéléré
☐ B) Une fermière normande qui « inventa » le camembert
☐ C) Une infirmière qui découvrit des moisissures devenues très utiles en fromagerie

14. La **goyère** est :

☐ A) Une variété de gruyère presque sans trous
☐ B) Une tarte au fromage dans le Nord
☐ C) Un plateau spécialement conçu pour la dégustation de plusieurs fromages

15. Le « **puant macéré** » est :

☐ A) Le surnom du putois dans l'Est de la France
☐ B) Un fromage très affiné, au goût très fort et à l'odeur impitoyable
☐ C) Un canular radiophonique de Pierre Dac

16. Pour fabriquer un fromage à **pâte molle** de 250 g environ il faut :

☐ A) Environ 2 litres de lait
☐ B) Entre 2,5 et 3 litres
☐ C) Pas plus de 1,5 litre

17. Un **tyrosémiophile** est une personne qui :

☐ A) Est allergique aux fromages
☐ B) Collectionne les étiquettes de boîtes de fromage
☐ C) Cultive les moisissures nécessaires à l'ensemencement de certains fromages

18. Selon le **savoir-vivre** de la table, il est :

☐ A) Malséant de proposer deux fois du fromage
☐ B) Hérétique de demander du beurre pour accompagner le fromage
☐ C) Incorrect de refuser de prendre du fromage

« New York, c'est un Roquefort gothique.
San Francisco me fait penser
à un Camembert roman. »

Salvador Dali

Réponses

1. B) Les Franc-Comtois raffolent de cette spécialité haute en saveur et en odeur qui se déguste à la petite cuiller ou en tartine : c'est du lait écrémé, caillé, cuit, égoutté et fermenté, additionné de beurre, de vin blanc et d'ail... « Son aspect ragaillardit, ça vous colle les quenottes », chante la Confrérie des Taste-Cancoillote.

2. A) Les fermiers qui devaient livrer une quantité de lait donnée s'arrangeaient pour n'en donner qu'une partie et trayaient ensuite leurs vaches une seconde fois : ce lait de seconde traite gras et crémeux fournissait un fromage artisanal qui devint le Reblochon.

3. C) L'origine la plus communément admise est que l'Emmental est originaire de la vallée (*Tal* en allemand) de l'Emme, dans le canton de Berne.

4. B) Mais libre à vous d'essayer toute autre boisson...

5. A) C'est en effet un employé helvétique d'une fromagerie normande qui eut l'idée d'enrichir de crème le lait utilisé pour fabriquer les petits Bondons de la région.

6. B) Tout fromage de lait de brebis affiné dans les caves de Roquefort a droit à ce nom même si le lait vient de Corse.

7. B) Mais les deux autres auraient sans doute pu l'affirmer aussi.

8. A) C'est le premier des « fromages industriels » doux et crémeux.

9. C) Il s'agit d'un petit fromage de chèvre ou de vache pétri avec du lait, de l'huile, de l'anisette et de la fine, macéré plusieurs jours avant dégustation.

10. C) À l'exclusion de toute autre matière première.

11. C) Le mot vient d'un très ancien vocable médiéval *bur*, qui signifiait « maison ».

12. C) Le prince de Bénévent fit beaucoup pour le renom de la table française dans l'Europe des grands congrès internationaux.

13. B) Dans le pays d'Auge, sous la Révolution, Marie Harel cacha un prêtre réfractaire venu de Brie, qui lui révéla la méthode briarde de fabrication du fromage. La fermière mit ainsi au point un nouveau fromage et c'est à Camembert que vint s'établir sa fille, dans l'Orne près de Vimoutiers, dépositaire du secret.

14. B) Préparée généralement avec du Maroilles et servie avec de la bière.

15. B) C'est le surnom du « Vieux Lille » longuement affiné. « Plus il pue, meilleur il est », dit le dicton.

16. A) Quantité requise pour fabriquer un Camembert.

17. B) D'impressionnantes collections sont réunies par les fanatiques de la boîte à fromage.

18. A) Selon la règle, on ne doit pas présenter deux fois de suite le plateau, même si de francs amateurs sont à table ! Toujours selon la théorie, il est encore plus incorrect d'en reprendre si d'aventure le plateau repasse... En revanche, il est parfaitement toléré de refuser d'en prendre, et le beurre avec le fromage n'est nullement une hérésie.

Résultat

• 18 points = Bravo ! Félicitations ! Vous êtes digne d'être élu membre d'honneur de la Guilde des fromagers. Rien de ce qui concerne le fromage ne vous est indifférent.

• Entre 15 et 18 points = Encore bravo ! Le fromage occupe une place privilégiée dans vos préoccupations de gourmet.

• De 10 à 15 points = Score très honorable. Quelle chance vous avez : il vous reste tant de choses à découvrir...

• Entre 6 et 10 points = Le fromage est un sujet qui ne vous passionne pas outre mesure. Pourquoi ne pas « creuser » un peu le sujet ?

• De 3 à 6 points = Auriez-vous fait quelque fâcheuse expérience qui vous détourne à ce point du fromage ?

• Moins de 3 points = Le fromage fait réellement partie de la gastronomie française. L'ignorez-vous ? Vous avez enfin entre les mains de quoi améliorer sérieusement votre score.

DU LAIT AU MOULE, DE QUOI EN FAIRE TOUT UN FROMAGE...

*« Du haut de mon pélardon,
je contemple le monde. »*

J.-P. Chabrol

Le fromage, fruit du hasard ?

Plutôt de la nécessité de conserver le lait et de constituer une réserve alimentaire commode, disponible à tout moment. Le lait est une substance qui caille spontanément : du jour où on l'égoutte, l'histoire du fromage commence.

De l'empirisme le plus artisanal qui répète les gestes des bergers de la Bible aux procédés les plus modernes de l'ultra-filtration qui « normalise » la matière première, il y a aujourd'hui toute la distance qui sépare les fromages « fer-

La diversité des fabrications fromagères Lait de vache, de chèvre ou de brebis			
Caillage Égouttage			
Pâtes fraîches non affinées	Pâtes molles à croûte fleurie ou à croûte lavée	Pâtes pressées	Pâtes cuites
Petit-suisse Demi-sel Fontainebleau Brousse etc.	Camembert Brie Roquefort Munster Livarot etc.	Saint-Nectaire Cantal Saint-Paulin Reblochon Tomme etc.	Comté Emmental Beaufort etc.

miers » encore existants et les Pavés d'Affinois conçus et fabriqués selon les techniques les plus abouties.

Le XXIᵉ siècle est pour demain, mais le fromage appartient encore pour beaucoup à hier. Le principe de base de sa fabrication, c'est encore et toujours la coagulation du lait, suivie de l'égouttage, du moulage, du salage et de l'affinage du caillé. Et pourtant quelle diversité à partir de ces opérations fondamentales, outre la différence de matière première (lait de vache, de chèvre ou de brebis).

──Au commencement était le lait──

Le pâturage, la saison, le moment de la traite, la période de gestation ou de sevrage de la vache, de la brebis ou de la chèvre : autant de facteurs différents qui font du lait une matière première pas comme les autres. « Derrière chaque fromage, il y a un pâturage d'un vert différent, sous un ciel différent », écrit Italo Calvino dans une nouvelle extraite de *Palomar* (Le Seuil, 1985), consacrée au magasin des « Spécialités froumagères » de R. Barthélémy. Ce maître affineur, dont la passion n'a d'égale que la compétence, sait trouver les mots justes pour expliquer le rôle fondamental que joue ce liquide blanc et crémeux, matière vivante et riche de métamorphoses.

« Le lait prend naturellement le goût de la flore qui constitue le pâturage. Pourquoi le fameux beurre d'Échiré possède ce parfum si particulier ? Parce que les vaches broutent, dans les prairies voisines de la laiterie, une flore où la fleur d'ail est très abondante. En outre, le lait tiré le matin est moins acide et plus gras que celui de la traite du soir. Pourquoi ? D'une part, l'herbe est couverte de rosée et la synthèse chlorophyllienne est à son début ; d'autre part, les sucs digestifs reprennent leur activité après la nuit : deux facteurs qui influent sur la composition du lait. C'est pourquoi on mélange souvent les laits de deux traites pour avoir une matière première homogène.

Au printemps, les pâturages sont riches de fleurs nouvelles contenant une forte proportion de carotène. Le lait sera donc bien pourvu en vitamine A. Ce sera la période rêvée pour les pâtes fraîches, blanches et tendres, douces et crémeuses : fromages de vache normands, chèvres du Midi ou du Val de Loire. En hiver, lorsque l'herbe se raréfie, le lait est différent de nature. Selon la région, l'animal passe la saison en étable ou à l'air libre. Dans les pays de montagne, les productions estivales (Cantal, Comté, Beaufort) se poursuivent à un

Le goût de l'herbe se retrouve dans le fromage.

rythme ralenti et dans les zones tempérées, on fabrique des pâtes molles à croûte lavée (Livarot, Pont-l'Évêque), des fromages de trappistes (Bretagne) ou des Bries en Ile-de-France.

Pendant la période de gestation ou de sevrage, le fermier peut toujours ralentir ou stopper sa production artisanale, en fonction de ses disponibilités en lait, mais les laiteries industrielles ne peuvent agir de même : la mise en congélation du caillé (pour le lait de chèvre) ou encore les méthodes d'insémination artificielle qui décalent les périodes naturelles de reproduction sont aujourd'hui des procédés courants qui assurent un rendement uniforme sur toute l'année. Autre mesure moderne qui a bouleversé la production des fromages : la pasteurisation, mesure d'hygiène et facilité de conservation, mais aussi uniformisation de la production. »

Le lait est un milieu de culture riche d'une flore diversifiée, avec entre autres des germes utiles : ferments lactiques, qui font évoluer les pâtes molles, et bactéries propioniques, qui font fermenter les pâtes dures (formation des « trous »).

Un litre de lait

87 p. 100 d'eau
13 p. 100 de matières sèches

c'est-à-dire :

38 g de matière grasse
32 g de protéines
50 g de glucides
9 g de sels minéraux (calcium, phosphore)
Vitamines A, B1, B2, B6, B12, C, D, et K
Carotène

Lait cru et lait pasteurisé

Le lait cru collecté pour la fabrication du fromage est rapidement réfrigéré après la traite. Sont fabriqués au lait cru presque tous les fromages « fermiers » (faits à la ferme, avec le lait de l'exploitation agricole),

les fromages A.O.C. qui ne peuvent être faits qu'avec du lait cru (Comté, Roquefort notamment) et certains fromages laitiers ou industriels de qualité ou sous label.

Le lait pasteurisé de haute qualité est soumis à une pasteurisation courte qui respecte les qualités gustatives d'un lait sélectionné. Dans 90 pour cent des cas, les fromageries industrielles ou laitières utilisent du lait pasteurisé.

La pasteurisation, qu'est-ce que c'est ? Un traitement thermique visant à détruire les bactéries pathogènes se trouvant éventuellement dans un liquide biologique et à permettre sa conservation. Sont dits « pasteurisés » les fromages fabriqués avec du lait ayant subi ce traitement.

Du caillage au salage

« Pâte de lait, masse caillée,
Gâteau crémé, morceau royal,
Superbe mets et sans égal
D'une forme bien travaillée,
Belle figure du soleil,
Goût ravissant et non pareil. »

Marquis de Vauvert

Le caillage

Cette opération de base consiste à faire coaguler la caséine du lait : pour obtenir ce résultat, on ajoute dans le lait des ferments lactiques ou de la pré-

sure, voire les deux dans le cas d'une coagulation mixte.

Le *caillé lactique* est granuleux ; l'eau s'en sépare spontanément ; il est de saveur légèrement aigrelette. Le *caillé présuré* est plus ferme ; il prend

Le caillé des pâtes persillées.

nette). La plupart du temps, on utilise un mélange de présure et d'enzymes bactériennes.

Un lait chauffé à 35 °C avec une quantité dosée de présure coagule au bout de quelques minutes en une masse blanche et élastique, qui ressemble un peu à une grosse gelée ; les matières en suspension dans le lait (matière grasse, caséine) restent dans le « coagulum », alors que les matières en solution se retrouvent dans le sérum (petit-lait) : le lactose, les albumines et les globulines, plus certains sels minéraux.

Un caillé peu manipulé, peu chauffé et salé rapidement donne une pâte molle (type Brie). Un caillé divisé, chauffé, pressé et salé donne une pâte dure (type Emmental).

L'égouttage

L'étape suivante se caractérise par la séparation du caillé et de l'eau : le caillé se contracte. Dans de nombreux cas, l'égouttage se fait par simple filtration, spontanément. Pour les fromages frais et certaines pâtes molles, on puise le caillé à la louche et on le dépose dans un moule percé de trous. Mais dans de nombreuses fabrications, l'égouttage est accéléré par diverses opérations : brassage, tranchage et chauffage.

Le « tranche-caillé » (fils métalliques tendus sur un cadre) permet de fragmenter le caillé pour en accélérer l'égouttage. Pour les pâtes fermes, il

plus en bloc et se rétracte progressivement sans s'effriter. Le dosage des ferments et de la présure dépend des types de fromages que l'on veut fabriquer : la fermentation lactique prédomine pour les pâtes fraîches ou molles, la seconde pour les pâtes dures ou pressées.

Par ailleurs, la température initiale du lait intervient également : pour les pâtes cuites, le lait est « frais » ; pour le Pont-l'Évêque, il doit être encore chaud (juste trait) ; pour le Camembert, on le laisse légèrement maturer pour l'acidifier.

La présure : c'est une substance obtenue en laissant la caillette de l'estomac d'un veau macérer dans un liquide acide ; la diastase qui en est extraite est utilisée sous forme de solution ou de poudre. On a également fait intervenir en fromagerie dans l'Antiquité des coagulants végétaux, comme le suc des feuilles de figuier ou le chardon sauvage (chardon-

faut découper le caillé en petits cubes ou en petits grains, selon le type précis de pâte à obtenir. Le rompage du caillé est parfois suivi d'un brassage des grains, toujours dans le but d'amplifier la contraction de la masse et de parfaire l'égouttage.

Plus la pâte du fromage à fabriquer doit être ferme et compacte, plus la température à laquelle on travaille est élevée. Pour les pâtes cuites, par exemple, on réalise une « cuisson » des grains de caillé à 52 ou 55 °C. Pour les « pâtes pressées non cuites » (Édam, Cantal), cette température avoisine 39 °C. Plus l'égouttage est poussé, plus l'affinage ultérieur sera lent, et moins le fromage contiendra d'humidité (mais davantage de matière sèche en concentration) et plus il se conservera longtemps.

Le moulage

La mise en forme des fromages se fait par prise du caillé dans des moules perforés (pour les pâtes molles, où leur égouttage se poursuit) ou par pressage dans des toiles cerclées de bois ou d'un autre matériau, ou encore par pressage de la pâte une fois qu'elle est mise dans un moule. C'est ainsi que le fromage acquiert sa forme définitive.

Celle-ci varie considérablement, tant par l'aspect extérieur que par les dimensions : depuis le Crottin (boule aplatie de 60 g environ une fois « séchée ») jusqu'à la meule cylindrique à talon concave du Beaufort (40 à 60 kilos pour 60 cm de diamètre sur 12 à 14 cm d'épaisseur), à ne pas confondre avec le Comté à talon convexe, en passant par la pyramide de

Moulage du caillé.

Valençay, la grande « roue » du Brie, le disque du Camembert ou le pavé de Maroilles, sans oublier les cœurs, les bûchettes, les petits palets ou les hautes fourmes cylindriques, les grosses boules de Hollande ou les Petits-Suisses dodus...

Ce sont les impératifs de la fabrication (quantité de lait), les usages locaux et bien sûr le souci de différenciation qui ont inspiré les « formes » (le mot fromage vient du latin *forma*, moule). On utilise ainsi :
- des moules plats et cylindriques (Camembert, Coulommiers)
- des faisselles cylindriques en grès (Crottin)
- des écorces d'épicéa (Vacherin vendu dans sa boîte)
- de grands cercles métalliques (Brie)
- des « foncets » réglables pour les fromages de « grande forme » (Gruyère, Emmental).
- des troncs de pyramide en fer-blanc (Pouligny)
- des petites gouttières en grès (Sainte-Maure)
- des petits baquets en fonte d'aluminium (Gouda)

« Pourquoi le Camembert est-il rond, la Fourme cylindrique, le Pont-l'Évêque carré, la Boule de Lille sphérique, le Dauphin incurvé, l'Avesnes conique ? » demandait F. Amunategui dans *Gastronomiquement vôtre*. Et l'auteur de répondre : « Cette géométrie dans l'espace correspond exactement à un état d'âme, à une vision des choses... Le fromager enferme dans sa forme l'idéal d'une communauté, d'une collectivité. » C'est sans doute ce que l'on appelle « l'âme du terroir ». Et pour s'y retrouver dans cette infinie mosaïque de formes et de couleurs, pourquoi ne pas suivre l'exemple du héros ébloui de *Palomar*, signé I. Calvino : « Il sort de sa poche un carnet, un stylo, il commence à écrire des noms,... il essaye même, sinon de dessiner, d'esquisser la forme synthétiquement. Il écrit *Pavé d'Airvault*, il note « moisissures vertes », dessine un parallélépipède plat et note sur un des côtés « environ 4 cm » ; il écrit *Sainte-Maure*, note « cylindre gris granuleux avec un petit bâton à l'intérieur » et dessine, en mesurant au jugé « 20 cm » ; puis il écrit *Chabichou* et dessine un petit cylindre. »

Le salage

Qu'il soit réparti dans la pâte ou saupoudré en surface, le sel joue un rôle sélectif sur le développement des micro-organismes : il régularise les développements bactériens, tout en favorisant l'action des ferments spécifiques. Le sel oriente le caillé vers l'aspect et le goût final que possédera le fromage. Il parfait l'égouttage en accélérant la déshydratation, et surtout il révèle la saveur propre du fromage.

Le salage peut se faire à sec, par frottements ou par saupoudrages de sel fin, mais il s'effectue aussi parfois par immersion

Fabriquer son fromage comme en 1746, avec les conseils de LA CUISINIÈRE BOURGEOISE, recueil de recettes du cuisinier Menon.

Une chopine = 50 cl ;
Une pinte = 0,93 litre ;
Un grain = le vingtième de 1 gramme.

LE FROMAGE NATUREL À LA CRÈME

« Prenez une chopine de bon lait que vous faites tiédir sur le feu ; mettez-y, en remuant le lait, gros comme un pois de bonne présure, que vous délayez avec du même lait ; faites prendre votre caillé sur un peu de cendres chaudes en le couvrant, et mettant un peu de cendres chaudes sur le couvercle ; quand il est pris, vous mettez le caillé dans un petit panier d'osier, fait pour ces petits fromages ; quand il est bien égoutté, vous le dressez dans le compotier et le servez avec de la bonne crème et du sucre fin dessus. »

LE FROMAGE À LA PRINCESSE

« Mettez sur le feu une chopine de crème, avec une pinte de lait, deux grains de sel, une écorce de citron vert râpé, une pincée de coriandre, un petit morceau de cannelle, trois onces de sucre ; faites bouillir ensemble et réduire à moitié : ôtez-la du feu ; quand elle sera tiède, vous y mettrez un peu plus gros qu'un pois de présure délayée avec une cuillerée d'eau ; passez la crème au tamis et la remettez sur de la cendre chaude ; quand elle sera prise en caillé, mettez-la dans un petit panier d'osier pour la faire égoutter et prendre la forme d'un fromage ; ensuite vous la renversez dans un compotier ou sur une assiette. »

LE CAMEMBERT TRADITIONNEL EN 1895

Voilà comment on fabriquait le Camembert à Mesnil-Mauger dans le Calvados, chez C. Paynel, le petit-fils de Marie Harel.

Dans la salle de fabrication soigneusement nettoyée, on coule le lait dans les *serennes*, petites cuves d'une contenance de 20 litres environ. On y ajoute aussitôt la présure et l'on attend le temps nécessaire à la coagulation. Les fromagères se servent de petits chariots spéciaux pour amener les serennes à proximité des *tables d'égouttage*. Il faut alors remplir un par un les *moules* à la *louche* en puisant au fur et à mesure le caillé dans les serennes, disposées en oblique sur leurs supports en bois de manière à faciliter la manipulation.

Après un certain temps d'égouttage, la fromagère retourne un à un ses moules et l'on procède ensuite au démoulage. Les caillés sont alors salés sur les deux faces et sur le pourtour.

C'est le moment où les fromages sont transportés sur les longues étagères du *hâloir*, où la température est de 13 à 14 °C. Cette salle, où les ouvertures sont placées à différentes hauteurs, fait régner une bonne circulation d'air, ce qui permet un raffermissement de la pâte, un développement de la moisissure et la progression de la « fleur ». Les fromages, disposés sur des *claies en bois blanc*, sont retournés à plusieurs reprises.

Après 25 jours environ, les Camemberts sont transportés dans une autre cave, la « *salle de perfection* » : c'est un local obscur en sous-sol où la température est de 10 à 12 °C. Ils vont y séjourner un mois, rangés sur des *tablettes en bois*. Des retournements fréquents ont lieu et des soins minutieux interviennent pour éviter la prolifération des vers. Lorsque la fromagère estime que les fromages sont « faits », ils sont groupés par « paillots » et emballés dans des *paniers en osier* ou des *caissettes en bois blanc* pour être acheminés vers le marché ou l'acheteur.

du fromage dans une solution salée (saumure), pendant un temps plus ou moins long.

Le salage permet aussi le développement des ferments spécifiques qui vont donner à la croûte ou à la pâte interne sa couleur et son aspect. Dans la formation de la croûte, en outre, le sel régularise les échanges entre l'intérieur du fromage et l'air ambiant.

Salage des Camemberts.

L'affinage

*« La troisième porte est celle de la laiterie. Repos ! Silence !
Égouttement sans fin des claies où les fromages se rétrécissent...
Tassement des mottes dans les manchons de métal. »*

André Gide,
Les Nourritures terrestres.

C'est à partir de l'affinage que le fromage perd sa qualification de « frais ». Juste après l'égouttage, les fromages possèdent sans doute leur forme, mais leur goût est encore assez uniforme, de tendance lactique. La maturation qui intervient alors va déterminer la saveur, le parfum, la consistance, l'aspect extérieur et souvent également les propriétés nutritives particulières de chaque variété.

Les fromages « blancs » ne

Affinage des Fourmes de Cantal.

sont pas affinés. Tous les autres sont soumis à une attente plus ou moins longue, dans des conditions de température et d'humidité précises. Dans un « hâloir » humide et frais, la texture du caillé se modifie, de même que son odeur et son goût : le caillé devient « pâte ».

La durée de maturation est très variable selon les fromages : de plusieurs jours (12 au minimum pour les crottins, par exemple) à plusieurs mois (jusqu'à 2 ans pour le Beaufort et le Salers). Les pains de Roquefort (ensemencés de *Penicillium roqueforti*, retournés, lavés, salés, piqués de fines aiguilles) sont placés sur des travées de chêne dans les caves où soufflent les « fleurines » : la durée de leur séjour est au moins de 150 jours.

Des soins manuels constants interviennent à intervalles réguliers : retournement des pièces selon un rythme précis, brossage et/ou lavage de la croûte (à l'eau salée, au vin, à la bière, au marc, à l'huile d'olive, etc.), recours à la « cendre » ou au foin... Au cours de l'affinage, les micro-organismes provoquent d'importantes transformations :

• apparition de la « fleur » sur les fromages à pâte molle et à croûte fleurie (Brie, Camembert, Chaource);

• émergence de teintes rougeâtres ou orange sur les croûtes lavées, à cause du « ferment du rouge » qui se développe spontanément sur les fromages au lait cru — Livarot, Maroilles, Munster — mais qui est ensemencé sur les fromages pasteurisés, avec parfois en outre l'adjonction d'un colorant végétal à base de rocou;

• apparition des veinures

Comment reconnaît-on le degré d'affinage d'un fromage ?

	Peu affiné	Affiné	Trop affiné
Pâte molle à croûte fleurie (Brie)	Croûte blanche et pâte crayeuse	Croûte blanche pigmentée de rouge et pâte crémeuse	Croûte brune et pâte coulante
Pâte molle à croûte lavée (Livarot)	Croûte molle et pâte ferme	Croûte lisse et pâte souple	Croûte craquelée et pâte coulante
Pâte pressée non cuite (Reblochon)	Pâte souple et croûte sans fissures	Pâte souple et croûte juste « gercée »	Croûte tachetée, sèche, et pâte coulante

bleues et du persillé par ensemencement (Roquefort) ou spontanément (comme chez les Bleus du Jura) ;
• fermentation carbonique qui provoque les « ouvertures » ou trous dans les pâtes cuites.

L'affinage est d'autant plus rapide que la température de la cave est élevée. Mais chaque type de fromage demande des conditions idéales de maturation qui favorisent le développement optimal de ses qualités organoleptiques (goût, odeur, saveur, etc.) : 12 à 20 °C pour les pâtes cuites, 10 à 12 °C pour les pâtes pressées, 7 à 10 °C pour les pâtes molles et moins de 5 °C pour les Bleus. Au cours de cette opération, l'affineur fait varier la température.

« Affineur » : une passion

Un « fromager », en théorie, est celui qui fabrique des fro-

mages, mais le terme est devenu aujourd'hui synonyme de « vendeur de fromages » établi dans le commerce. En revanche, ce « commerçant » est bien souvent « affineur » de ses fromages, de tous ou de certains, à des degrés variables. Il est assez rare que l'affineur établi en ville affine chez lui des pâtes cuites, des pâtes pressées ou des Bleus (lesquels peuvent néanmoins très bien « vieillir » chez lui plus ou moins longtemps). Mais il peut s'équiper pour mener au point de maturation idéal les fromages à pâte molle, à croûte fleurie ou lavée, ainsi que les Chèvres.

L'affinage des fromages, c'est presque une sorte de maternage quand il est conçu avec cette passion qui caractérise bon nombre de « marchands de fromages ». Les dizaines de variétés différentes qui arrivent « en blanc » chez l'affineur sont entreposées dans des caves spécialement aménagées, en fonction de l'humidité et de la fraîcheur à y faire régner, variables, ainsi que l'aération, selon la famille à faire « mûrir » : les Chèvres ne s'affinent pas à côté des Camemberts. Certains fromages seront lavés, d'autres brossés, retournés, frottés à la bière, au vin ou au marc. D'autres, enfin, ne seront pas même touchés. Il faut savoir les tâter, les humer, les surveiller attentivement, puis les proposer au client juste au bon moment. C'est dans cette optique, sans doute, que le « fromager-affineur » conserve, face au distributeur, son originalité foncière.

Originalité qui va parfois jusqu'à la création proprement dite. On connaît le *Délice de Saint-Cyr*, onctueux triple-crème imaginé par M. Boursault, ou depuis peu le *Boulamour* de R. Barthélémy : pâte fraîche enrichie de crème, agrémentée de raisins de Corinthe et de Smyrne parfumés au kirsch. On peut citer également à Paris le Lucullus à la cendre (Carmès), le Saint-Hubert de H. Voy, soyeux et velouté triple-crème, les Chèvres marinés à l'huile de la fromagerie Genève ou le délicieux fromage aux noix de la Ferme d'Olivia. À Toulouse, ce sont les raretés de maître Xavier : Tomme d'Oc et Fourme au Sauternes notamment. Et à Cannes, le Brie de Meaux aux truffes de E. Ceneri.

À traquer les fournisseurs de choix sur le terrain dans toutes les régions de France, à soigner ses petits arrivants quotidiennement pour le plus grand plaisir du dégustateur, l'affineur n'exerce-t-il pas un art mystérieux qui puise ses sources aux plus anciennes traditions, celles où l'aliment conserve sa noblesse et son authenticité ?

—Bien conserver ses fromages...— Tout un art

« Car il est fait avec tant d'art
Que jeune ou vieux il n'est que crème. »

H. Le Cordier

L'idéal ?

• Soit acheter ses fromages juste à point, pour le jour, en quantités exactement nécessaires...

• Soit disposer d'une cave fraîche, humide et aérée...
Ne rêvons pas. Soyons pratiques. On achète généralement plusieurs fromages pour plu-

sieur jours, en fonction de plusieur repas.

Premier principe : ne pas faire de provisions trop importantes (jamais au-delà d'une semaine) et renouveler son « stock » régulièrement, ce qui permet par ailleurs d'entretenir de fréquents contacts avec son fromager ou de profiter au bon moment de certains fromages « à la coupe » dans les moyennes ou grandes surfaces.

L'idéal, donc, serait de garder ses fromages dans une cave où la température avoisinerait 8 °C, bien séparés les uns des autres, sur des planches de bois ou des paillons, dans une atmosphère sombre, assez humide et bien aérée, en les retournant tous les deux jours environ (pour les pâtes molles) tandis que les pâtes cuites se bonifient lentement comme des bons vins.

Néanmoins, tous les spécialistes s'accordent à reconnaître que le réfrigérateur offre une excellente solution de rechange, à condition d'utiliser le bac à légumes et d'isoler les fromages les uns des autres dans des sacs ou des boîtes en matière plastique.

Attention : jamais « à cru » et surtout loin du freezer.

Et surtout : sortir les fromages du réfrigérateur trois quarts d'heure au moins avant de les servir, mais ne pas composer le plateau trop longtemps à l'avance.

Les variations de températures trop renouvelées sont toujours néfastes aux bons fromages.

Quatre principes

• Une pâte molle à croûte lavée ou fleurie faite à cœur n'attend pas. Mais si son affinage n'est pas optimal, laissez-la 2 à 3 jours dans un endroit aéré, à 12-13 °C.

• Les pâtes pressées (cuites ou non) se conservent plus longtemps : les fromages de Hollande ou le Cantal, par exemple, passent par différents degrés de jeunesse et de maturité. Le Saint-Nectaire, le Reblochon, les Trappistes et les Tommes demandent une certaine humidité ; les pâtes cuites craignent autant la sécheresse que l'excès de froid.

• Les Chèvres, du moins les Crottins, Pélardons et Chabichous, supportent un certain vieillissement qui les rend secs et d'un goût plus affirmé, mais attention au trop grand froid et à la chaleur.

• Les pâtes fraîches doivent obligatoirement être entreposées au frais (conservation à 0 °C) ; respecter les dates limites de consommation.

Et des conseils plus détaillés

• Fromages à « évolution rapide » (Camembert, Pont-l'Évêque, Munster, Reblochon ou Saint-Nectaire fermier) : à conserver dans l'emballage d'origine au frais jusqu'au service (le jour même de l'achat ou le lendemain) ; restes emballés, dans le bac à légumes du réfrigérateur.

• Tout fromage entamé (pâte molle) ne supporte pas une longue attente : caler éventuellement l'entame avec une languette de bois ou de plexiglas. Rafraîchir l'entame des fromages à pâte cuite avant de les servir.

• Un cas particulier : le Vacherin à point, à déguster à la petite cuiller, sans laisser de restes...

• Les Bleus et surtout le Roquefort sont particulièrement sensibles : ne présenter sur le plateau que la portion nécessaire ; conserver le reste dans du papier d'aluminium ou un linge légèrement humide, dans le bac à légumes du réfrigérateur.

• Cantal, Saint-Paulin, Tommes, Mimolette, Cheddar, etc. ; ils peuvent « durer » plus longtemps ; le papier sulfurisé est préférable au papier d'aluminium, toujours dans le bac à légumes, dans une boîte différente des pâtes molles et des Bleus.

• Chèvres : ils supportent davantage d'attente, de préférence sans emballage, à une température fraîche et à l'ombre...

• Pâtes pressées cuites : les moins sensibles ; sous papier sulfurisé et dans une boîte à part ; quand le morceau est gros, ne présenter sur le plateau qu'une portion modeste.

• Fromages fondus et fromages frais : respecter la date

limite de consommation et conserver dans la partie la plus fraîche du réfrigérateur.

• Fromages préemballés : les sortir impérativement du plastique au moins deux heures avant consommation.

• Spécial « Gruyère » : des meules d'Emmental, de Beaufort ou de Comté, on achète souvent une bonne portion, à la fois pour la dégustation et la cuisine. Pour conserver ce fromage au mieux, le « truc » le plus connu consiste à placer le morceau dans une boîte en plastique hermétique, avec un ou deux morceaux de sucre, le tout dans le bac à légumes ; si le morceau a déjà durci : l'envelopper dans un linge humide ou humecté de vin blanc dilué.

Et la cloche ?

C'est un accessoire amusant pour présenter à table un Maroilles, un Pont-l'Evêque ou un Camembert bien choisi, mais elle ne peut servir à conserver efficacement vos fromages, qui demandent avant toute chose ombre, fraîcheur et humidité.

Le Cuisinier des cuisiniers (1882) conseillait quant à lui le procédé suivant : « Les fromages gras, demi-gras et durs peuvent se conserver longtemps en les entourant de charbon en poudre absolument comme les viandes (poussière de charbon dans le fond d'un récipient, sur les côtés et dessus, le fromage étant au milieu) ; toutefois le charbon a la propriété de les dessécher beaucoup et de leur

Les Vacherins dans leurs boîtes de sapin.

enlever une partie de leur arôme. » Autre méthode courante à l'époque : pratiquer une ouverture au milieu du fromage et y mettre de la craie, qui « dessèche l'humidité ». Nous préférons, pour notre part, le procédé qui consiste à creuser des sondes dans la pâte d'un Stilton ou d'une Fourme pour y couler un peu de Xérès ou de Madère...

ATTENTION :
FAMILLE NOMBREUSE !

*« Un peuple qui a créé
plus de 400 fromages
ne saurait disparaître... »*

Winston Churchill

*« ... la vraie connaissance, qui réside
dans l'expérience des saveurs, faite
elle-même de mémoire et d'imagination ensemble... pour établir une
échelle de goûts, de préférences, de
curiosités ou d'exclusions. »*

Italo Calvino

——Le jeu des « huit » familles——

*« Ah, madame, voilà du bon
fromage !
Voilà du bon fromage au lait.
Il est du pays
de celui qui l'a fait... »*

Chanson enfantine

Dans son *Histoire à table*, A. Castelot parlait des fromages « innombrables, divers de formes, de couleurs, d'arômes, de goûts et d'usages. Il y a les doux et les forts, les piquants et les onctueux, les secs et les coulants, les glorieux et les sans grade ». Pour mettre un peu d'ordre dans cette multitude, l'auteur disposait son « armée » en trois rangs : les fermentés mous (Brie, Pont-l'Évêque, Chèvres), les fermentés durs (Gruyère, Hollande) et les moisis (Bleus et Persillés). La docte Académie des gastronomes, dans son Dictionnaire, établit un classement entre : les fromages de caillé frais, les fromages fermentés à basse température sans pression, les fromages soumis à une action mécanique et les fromages persillés. Pierre Androuët, connaisseur s'il en est, a distingué neuf groupes : pâtes fraîches, pâtes molles à croûte fleurie, pâtes molles à croûte lavée, pâtes molles à croûte naturelle, pâtes persillées, pâtes pressées non cuites, pâtes pressées cuites, fromages fondus et pâtes aromatisées...

On pourrait imaginer bien d'autres classements, qui tiendraient compte de l'origine du lait, de la nature de la croûte, de la présence des moisissures et de leur apparence, de la technique de l'égouttage et des manipulations de l'affinage. Du Petit-Suisse au Parmesan, du Camembert au Reblochon, de l'Olivet au Port-Salut, du Pouligny au Comté, on pénètre dans un maquis multiforme où il est très facile de se perdre. Il y en a tellement... Faut-il classer selon la forme (boule, cube, meule, pavé, cylindre, disque) ? Selon la consistance : dur, sec, mou, compact, veiné ? Faut-il parler des ingrédients étrangers mêlés à la pâte ou à la croûte : raisins secs, herbes sèches, cumin, sauge, poivre, noix ?

Pour un néophyte en spécialités fromagères, l'exploration d'un étal bien garni peut faire tourner la tête. L'évocation fantasmagorique à laquelle s'abandonne Émile Zola dans le Ventre de Paris est un morceau d'anthologie très révélateur à cet égard : « ... un Cantal géant, comme fendu à coups de hache ; puis venaient un Chester couleur d'or, un Gruyère pareil à une roue tombée de quelque char barbare... Trois Bries, sur des planches rondes, avaient des mélancolies de lunes éteintes. Des Port-Salut semblables à des disques antiques montraient en exergue le nom imprimé des fabricants. Un Romantour vêtu de son papier d'argent donnait le rêve d'une barre de nougat. Les Roqueforts, eux aussi, sous des cloches de cristal, prenaient des mines princières, des faces marbrées et grasses... Des fromages de chèvre, gros comme un poing d'enfant, durs et grisâtres, rappelaient les cailloux que les boucs, menant leur troupeau, font rouler aux coudes des sentiers pierreux... »

Mais revenons à des réalités plus prosaïques. Aujourd'hui, les professionnels du fromage s'accordent à reconnaître dans cette fabuleuse mosaïque huit familles bien individualisées, d'après la technique de leur fabrication.

Fromages frais

Faits de lait de vache, de brebis ou de chèvre, jamais affinés et très riches en eau, ils sont plus ou moins égouttés et donc plus ou moins « mous ». La pâte, blanche et sans croûte, est parfois salée (demi-sel, Gournay). Le taux de matière grasse est très variable (0 à 75 %). Cette famille comprend :
• fromages blancs, « cottage cheese », « lissé », fromage « à la pie », Fontainebleau, Caillebottes, Petits-Suisses, Saint-Florentin ;
• fromages à pâte molle dans leur premier état de fraîcheur avant l'affinage et parfois commercialisés tels (Brie, Banon, Neufchâtel, Pouligny-Saint-Pierre) ;
• fromages artisanaux ou industriels diversement aromatisés : ail et fines herbes, raisins secs, poivre, oignon haché, pâte de saumon, etc. (Boursin, Tartare, Roulé, Prédaiou, etc.) ;
• spécialités régionales telles que Brousse provençale et Broccio corse, Crémets d'Anjou, Cancoillote, Jonchées, etc.

Souvent servis en dessert, parfois avec confiture, sucre, compotes de fruits, crème fouettée, etc., les fromages frais nature interviennent largement en cuisine et en pâtisserie (sauces, tartes, canapés, accompagnement de crudités, etc.).

Fromages à pâte molle et à croûte fleurie

Exemple phare : le Camembert ou le Brie. Avec d'innombrables parents, cousins et dérivés : Coulommiers, Chaource, Carré de l'Est, La Bouille, Neufchâtel, Grattepaille, etc. Essentiellement faits au lait de vache.

Au cours de l'affinage, un duvet blanc se développe en 2 à 4 semaines : cette « fleur » feutrée, peu épaisse, recouvre une pâte souple et onctueuse, mais non coulante ; au fur et à mesure que le fromage mûrit, la croûte devient dorée, pigmentée de rouge ou de brun. Attention à ne pas laisser le fromage franchir le point de non-retour : trop « fait », il est piquant. Outre les classiques de la famille déjà cités, ajoutons le Pithiviers, le Fougeru, le Cœur de Bray et la Feuille de Dreux. C'est aussi dans ce groupe que vient se ranger une catégorie de fromages très appréciés de nos contemporains, ceux dont la pâte est « enrichie » : les doubles-crèmes et triples-crèmes. Après les Lucullus, Monsieur Fromage, Brillat-Savarin, Boursault ou Saint-Hubert, on compte

33

aujourd'hui aussi avec les Saint-Albray, Belle des Champs, Saint-Hélian, Crème des Prés, Caprice des Dieux, Ducs et autres Suprêmes, sans oublier, dans la catégorie « allégée », les fromages de régime.

Fromages à pâte molle et à croûte lavée

Fabriqués de la même manière que les précédents, au lait de vache pour la plupart, ils subissent en revanche lors de l'affinage diverses opérations de lavage et de brossage qui orientent la fermentation : d'où leur croûte lisse, rouge orangé, une pâte de saveur nettement affirmée et un arôme parfois peu discret.

Relèvent de cette famille haute en couleurs le Maroil-les, le Pont-l'Évêque, le Livarot, le Rollot, le Dauphin et la Boulette d'Avesnes, l'Époisses, le Langres, le Munster et le Vacherin, ainsi que plusieurs « nouveaux venus » comme le Rouy, le fromage des Chaumes, la Tourée de l'Aubier et le Vieux Pané. On inclut aussi en annexe à cette catégorie les fromages « à croûte naturelle » : Saint-Marcellin, Banon, Olivet (bleu ou cendré) et Rigottes, ainsi que le Soumaintrain.

Fromages de chèvre

Constitués en groupe bien individualisé, ces fromages sont à pâte molle et à croûte fleurie ou naturelle. Selon l'affinage (séchage), la pâte est fraîche, tendre, demi-dure, dure ou cassante. Certains sont cendrés, d'autres semés d'herbes aromatiques ou enveloppés de feuilles. La forme, le poids et la consistance sont très variables, allant du Bouton-de-Culotte à la Pyramide ou à la Tomme. Berry, Corse, Touraine et Dauphiné, Causses et Orléanais nous livrent entre autres : Picodons, Pélardons et Chabichous, Crottins, Chabis, Chevrotins et Cabécous, Pouligny, Valençay, Selles-sur-Cher et Sainte-Maure, Venoco et Niolo.

Soyez attentif à la mention
« pur chèvre »
ou « mi-chèvre »
(50 pour cent au moins de lait de chèvre).

Fromages à pâte persillée

Ce sont des pâtes molles à moisissures internes, dont la pâte lisse, grasse et compacte est parcourue de marbrures et de veinures bleu-vert : c'est le vaste groupe des « Bleus » au lait de brebis et au lait de vache. Leur affinage est plus long que pour les autres pâtes molles et leur goût est généralement assez soutenu. Citons les Bleus de Gex, des Causses et d'Auvergne, la Fourme d'Ambert, le Bleu de Bresse, le Saingorlon et bien entendu le Roquefort (au lait de brebis), sans oublier à l'étranger le Stilton anglais, le Gorgonzola italien, le Bleu de Bavière et le Danablu danois. Au chapitre des nouveautés : le Marbray.

Fromages à pâte pressée non cuite

Le caillé ayant subi un égouttage plus poussé, avec brassage et pressage, la pâte de ces fromages est nettement plus ferme tout en étant souple, avec une saveur douce qui peut devenir, avec un certain vieillissement, très fruitée ou même légèrement piquante.

Principaux représentants : Cantal, Laguiole et Salers, Saint-Nectaire, Ossau-Iraty (brebis), Tommes, Saint-Paulin, Reblochon, Murol, Gaperon, Morbier, Fontal, Mimolette et les fromages d'abbaye, ainsi que quelques grands fromages étrangers : Gouda et Édam, Cheddar et Chester, Bel Paese et Provolone, Bagnes et Tilsit. Plusieurs « nouveaux » fromages relèvent aussi de cette famille, type tomme ou trappiste : Babybel, Merzer, etc.

Fromages à pâte pressée cuite

La pâte sensiblement plus « dure » de ces fromages a nécessité un affinage relativement long, avec des soins réguliers (brossage, lavage et retournements), sur des masses souvent importantes (meules). La fermentation favorise l'apparition des trous, surtout dans l'Emmental, moins dans le Comté et presque pas dans le Beaufort (lequel offre en revanche des fentes longitudinales). Sous une croûte dure et sèche, la pâte est compacte et ferme, jaune d'or, se prêtant parfaitement au râpé, avec une saveur fruitée.

Ce sont des fromages de montagne au lait de vache (Suisse, Jura, Italie, Savoie) : Abondance, Gruyère, Appenzell, Parmesan, Sbrinz, Fontina.

Fromages fondus

Ils s'obtiennent par la fusion d'un ou de plusieurs fromages à pâte cuite ou non cuite (Emmental, Gruyère, Édam, Chester). On ajoute ensuite du lait, de la crème, du beurre et, souvent, un aromate. Relativement gras et

tartinables, ces fromages constituent une proportion notable des « nouveaux » fromages : aux noix, aux raisins secs, au poivre noir ou vert, au jambon fumé, au paprika, etc. Portions triangulaires, cubes ou lamelles pour toasts.

La dénomination « crème de... » désigne un fromage fondu dans lequel la seule matière première utilisée est fournie par le fromage mentionné.

—— Choix, assortiment, éventail, —— bref : le dilemme !

« Comme l'apothéose d'un bon repas,
Comme le bouquet d'un feu d'artifice... »

Curnonsky

Dans un pays où chaque jour, théoriquement, peut se fêter par un fromage différent, l'embarras du choix n'est pas une formule creuse. Heureux qui, tel le Néerlandais, ne peut balancer qu'entre le *Goudsche* (Gouda) et le *Edammer* (Édam) !

• **La force de l'habitude.** Il suffit que l'on soit habitué à un type de fromage ou à un fromage particulier — Gruyère, Brie, Roquefort, Chèvre, etc. — pour que le réflexe provoque souvent la demande, sans que l'on ait la curiosité d'aller inventorier les Bleus ou les fromages forts. Ne vous privez pas de découvertes passionnantes.

Appréciez-vous les Chèvres secs, au goût marqué et prenant ? Suivez le conseil de votre fromager le jour où il vous proposera du Venaco corse.

Préférez-vous le Selles-sur-Cher ou le Valençay blanc et onctueux ? Laissez-vous tenter, pour changer, par la Pigouille de Vendée (en été).

Avez-vous une passion incontrôlable pour le Boursault triple-crème ? Faites connaissance avec la Butte de

Coulommiers ou avec le Tremblay, doux et crémeux.

Êtes-vous curieux de découvertes sur des bases classiques ? Le Brie de Malesherbes affiné à la cendre (Barthélemy) est fait pour vous.

Condamnez-vous sans réserve les fromages « fantaisie » ? Faites confiance les yeux fermés à l'Époisses Bertheaux ou au Roquefort Coulet, marbré de bord à bord.

Avez-vous un faible pour le Saint-Marcellin ? Essayez donc de trouver aussi le Gouzon de la Creuse, rond et rustique, souple sous le doigt.

Les habitudes alimentaires sont parmi les plus puissantes et les plus profondément enracinées : si vous avez la chance d'avoir des enfants qui aiment le fromage, évitez de les cantonner trop exclusivement dans les spécialités conçues dit-on pour les gastronomes en culottes courtes (pâtes fraîches ou demi-sel enrichies, triples-crèmes ou fondus à tartiner, etc.) Initiez-les progressivement à des fromages « d'adultes ».

Le goûter est une bonne occasion pour associer les goûts et les couleurs.

• **Quelques suggestions.**

Brie de Melun frais, pains au lait, jus d'orange.
Cœur de Bray, portions de baguette grillées, chocolat.
Chaumes ou Tourée de l'Aubier, petites boules de pain de seigle aux raisins et citronnade.
Banon ou Saint-Marcellin, biscuits à l'avoine et jus de raisin.
Petits Cabécous, pain d'épice et grenadine.
Chambarrand ou Échourgnac, crêpes chaudes et cidre doux.

• **Une question de budget.** Le prix du fromage est inévitablement un critère de choix inéluctable, dans une catégorie d'aliments où se côtoient produits industriels de très grande consommation et produits artisanaux surveillés parfois quotidiennement pendant plusieurs semaines. Mais on ne déguste pas tous les jours de la volaille de Bresse truffée, des ris de veau aux morilles, des asperges de Lauris et des crus millésimés. De même, la consommation, voire la passion du fromage n'exige pas impérativement des spécialités rares, affinées par un maître qui vous garantit des origines exclusivement fermières, et donc coûteuses. Entre le Vacherin de Noël à 90 francs le kilo ou le Saint-Hubert à 35 francs pièce et la pointe de Brie laitier en promotion à 45 francs le kilo ou le Camembert à 7,50 francs pièce, il y a la marge qui sépare le quotidien de la fête. L'avantage de la production française est d'offrir des produits laitiers variables selon la demande et l'occasion, par

41

des circuits de diffusion différents : pour tous les goûts, toutes les bourses, toutes les circonstances. À chacun de moduler son approvisionnement en fonction de son budget, du style du repas, du nombre de convives, etc. Entre le tête-à-tête pour fêter un anniversaire, qui mérite un Sainte-Maure de Pussigny, un Camembert Moulin de Carel, un demi-Reblochon du Grand Bornand ou un Charolais en faisselle, et la tablée de randonneurs affamés qui feront honneur à des fromages industriels de bonne facture, doux, onctueux et « pas compliqués », toutes les situations gastronomiques et budgétaires se rencontrent et coexistent.

Mais outre la question du prix et la force de l'habitude, il y a sans doute un autre critère qui impose encore plus fortement sa loi : le goût.

Plus que chez un autre aliment, le fromage se définit, se démarque, se caractérise par son goût, sa personnalité. Parce qu'il est souvent perçu et conçu comme un « plus » au repas, il n'entraîne l'adhésion que par l'attrait d'un goût plaisant, doux ou fort. On déguste rarement du fromage par raison (à la différence de la soupe qui fait grandir, de la bonne viande rouge et des carottes pleines de vitamines...). C'est la gourmandise, et donc le plaisir de retrouver un goût que l'on aime, qui incite à faire honneur au plateau. Si l'on vous propose un Frinault, un Guerbigny, un Soumaintrain ou un Vachard, une question instinctive vous monte aux lèvres (à moins que vous ne les connaissiez déjà) : à quoi ça ressemble ?

Le fromage que l'on préfère, ce n'est pas (forcément) celui qui se place en tête des sondages ou le favori de quelques esthètes, la rareté hors de prix ou l'affaire du jour, l'appellation d'origine ou le petit dernier promotionné sur les trois chaînes. C'est tout simplement celui que l'on aime « doux et crémeux », « bien gras et velouté », « fort et puissant », onctueux à tartiner ou cassant sous le couteau, fruité et aromatique, fleurant la crème fraîche ou les herbes du maquis...

Une affaire de goût : en avoir ou pas...

À chacun sa madeleine... Et surtout à chacun ses goûts, ses attirances, ses découvertes et ses expériences, sans *a priori* ni jugement péremptoire.

> *« Un bout de madeleine dans un peu de thé, et voilà que le goût d'un de ces gâteaux qui semblent avoir été moulés dans la valve rainurée d'une coquille Saint-Jacques, trempée jadis dans le tilleul, surgit des limbes de la mémoire et avec lui tout un monde que l'on croyait à jamais perdu.*
>
> *Quand on n'est pas du côté de chez Marcel Proust, mais du versant de la plèbe, l'odeur d'un certain fromage pourrait bien faire l'office de ces délicatesses fades et distinguées. »*
>
> Maurice Lelong,
> *Célébration du fromage.*

Entre le fromage frais, tout juste égoutté dans sa faisselle, et la pâte durcie par la maturation, piquante, sableuse, voire « faisandée » comme celle de certains petits fromages macérés en pots, l'éventail des saveurs que proposent les fromages est susceptible de combler toutes les attentes, de l'amateur de Crème des Prés au connaisseur gourmand de Vieux Lille bien corsé, du blasé séduit par le Brie de Meaux fourré aux noix au fanatique de Pélardons des Cévennes bien secs.

Le bouquet, le goût de noisette ou de crème fraîche, le sapide presque salé, l'odeur lactique ou caprine, de cave ou de moisissure, telle subtile note balsamique ou anisée, tel arrière-goût de fumée, de cendre ou de foin : autant de nuances qui flattent le palais et créent des appétences tenaces.

De 1 à 7, voici les degrés successifs que les fromages peuvent présenter, en allant de la saveur la plus douce à la plus forte. Mais attention à la maturité et à l'affinage : un Saint-Florentin blanc et mou, très doux, devient, au terme de 2 mois en cave humide, un fromage à croûte orangée de saveur très relevée.

1. — Saveur fraîche. C'est celle de tous les fromages frais ou qualifiés de blancs. Parfois, la texture « lissée » ou granuleuse comme celle du cottage-cheese anglo-saxon modifie sensiblement la saveur. Certains ne les considèrent pas comme de « véritables » fromages dans la mesure justement où ils s'accommodent très souvent de condiments supplémentaires qui leur donnent un goût (ail, fines herbes, poivre concassé, ou bien sucre, arôme de fruit, fruits entiers, etc.)

2. — Saveur neutre. Les fromages fondus, lorsqu'ils ne sont pas aromatisés ou parfumés, possèdent une saveur neutre et une consistance tartinable ou « gratinable », qui font d'eux une classe intermédiaire entre les pâtes fraîches et les fromages affinés. Par ailleurs, nombre de fromages allégés (à teneur réduite en lipides) sont neutres de goût, ainsi que certains fromages de fabrication industrielle. Les fromages au lait de vache pasteurisé à pâte pressée non cuite ne se caractérisent jamais non plus par une saveur bien forte : Saint-Paulin, Trappistes et fromages d'abbaye ainsi que certaines Tommes, le Reblochon, le Morbier ou le Saint-Nectaire pré-emballés sont dans ce cas. Les pâtes molles de laiterie industrielle (Carré de l'Est, Coulommiers notamment) ne combleront pas non plus les gourmands de fromages « bien faits », mais peuvent parfaitement satisfaire les gros appétits et les faims insatiables.

3. — Saveur douce. Doux, mais possédant néanmoins un crémeux onctueux et sans acidité, non pas insipides, mais dénués de toute agressivité envers les papilles ou le nez, les fromages de cette catégorie sont nombreux et variés, comme leurs adeptes. Il y a d'abord les doubles-crèmes et triples-crèmes nature et peu affinés (Brillat-Savarin, Excelsior, Boursault, Lucullus, Monsieur-Fromage, Saint-André, Coulommiers enrichi, Saint-Hubert, etc.). Les fromages de type Hollande quand ils sont jeunes, ainsi que les pâtes pressées non cuites peu affinées (Saint-Nectaire, Tommes de vache, Laguiole, Pyrénées, etc.) sont également « doux » (avec des nuances, bien sûr), de même que plusieurs pâtes cuites à l'état jeune (Emmental) et divers Chèvres (Banon, Bûche) ou fromages de brebis peu salés et peu séchés.

4. — Saveur marquée. Les amateurs de pâtes molles à croûte fleuries trouvent dans cette catégorie les Camembert, Brie, Coulommiers et Chaources au lait cru qui font leur bonheur, ainsi que plusieurs Chèvres à pâte mi-molle (Sainte-Maure, Pouligny). Le Cantal jeune et le Reblochon fermier appartiennent aussi à cet ensemble, et même le Vacherin à point, le Bleu de Bresse et certaines Tommes de montagne. Il faut enfin y ajouter certaines pâtes cuites plus ou moins fruitées, dont les fromages à raclette.

5. — Saveur prononcée. On aborde ici le domaine des fromages qui ont du « caractère », à savoir les croûtes fleuries au lait cru « bien faites », des pâtes pressées affinées (Cantal, Édam étuvé) et des pâtes cuites très fruitées (Fribourg, Beaufort), sans oublier les Chèvres qui gagnent en maturité et en sapidité.

6. — Saveur forte. C'est celle du plateau des pâtes molles à croûte lavée (Langres, Munster, Époisses, Livarot, Maroilles mais aussi du Cantal vieux et de certains Chèvres mi-durs, ainsi que des pâtes persillées, avec les Bleus et les Fourmes bien typées (un Gorgonzola, en revanche, serait moins « fort ») ; un triple-crème au lait cru très affiné peut également avoir une saveur très marquée.

7. — Saveur très forte. Ce qualificatif rend mal compte des expériences gustatives réservées aux connaisseurs avertis qui choisissent des Bleus bien « mûrs », un Roquefort très affiné et des fromages de chèvre très secs ou macérés en pots, des croûtes lavées relevées d'aromates (Boulettes d'Avesnes ou de Cambrai), ainsi que des fromages dits « forts », vieillis avec des herbes, sans oublier certains corses comme le Niolo ou le Calenzana (parfois si salé qu'il donne l'impression d'avoir « bu la tasse »...).

P. Androuët a également établi un classement devenu classique : **1.** Saveur fraîche. **2.** Saveur extra-douce ou neutre. **3.** Saveur douce. **4.** Saveur peu prononcée. **5.** Saveur prononcée. **6.** Saveur forte. **7.** Saveur très forte, piquante ou faisandée. Et quand on l'interroge sur la saveur d'un Bleu de Sainte-Foy, d'un Cabécou, d'une Tomme au marc, d'un Entrammes ou d'une Brousse, il lui suffit de répondre (respectivement) : 4 à 5, 2 à 4, 5 à 7, 2 à 3 ou 1 à 2...

Cette gradation des saveurs n'est pas seulement utile et pratique pour s'orienter parmi les groupes de fromages que l'on préfère. Ce type de gradation permet également de faire un choix cohérent quand on veut composer un plateau de fromages en fonction du menu et des mets qui précèdent.

Selon que les convives ont fait honneur à du poisson cuit à la vapeur, à un sauté de veau aux légumes nouveaux, à un rôti de bœuf, à une matelote au vin rouge, à du poulet à l'indienne ou à une gigue de chevreuil marinée, le niveau de sapidité, en fin de repas, ne sera pas le même. Plus il monte en saveur, plus le palais s'habitue à des sensations plus marquées, et moins il peut de nouveau apprécier des textures douces et délicates (quand on reste dans le registre « salé »). Les fromages doivent donc « suivre le rythme », surtout s'ils sont choisis pour leur attrait gastronomique.

Le principe veut qu'on progresse du plus doux au plus fort. Mais comme toujours, les règles ont leur exception, et parfois le contraste a du bon. En outre, la présence de plusieurs fromages sur un plateau comble tous les goûts.

Quelques exemples :

• Velouté à la tomate — Épaule de mouton farcie et pommes nouvelles — Salade de chicorée — Compote de rhubarbe.

Plateau : Saingorlon ou Bleu de Bresse, Feuille de Dreux, Murol et Chabichous.

• Terrine de canard au poivre vert — Bœuf gros sel — Pruneaux à l'Armagnac.

Plateau : Brie au poivre, Boulette d'Avesnes, Murol fermier, Tilsit.

• Salade de concombre à la menthe — Sauté de veau aux pâtes fraîches — Tarte aux fraises.

Plateau : Saint-Florentin, Cœur de Bray, Mimolette et Reblochon.

• Poisson cru mariné — Poulet au citron — Charlotte aux poires.

Plateau : Cantal, Brindamour, Gaperon, Comté.

• Œufs en meurette — Rôti de porc au chou rouge — Pommes au four caramélisées.

Plateau : Crottin de Chavignol, Fourme d'Ambert, Maroilles, Tomme des Pyrénées (brebis).

CE QUE PARLER VEUT DIRE

« *Le Port-Salut, c'est écrit dessus !* »
Slogan publicitaire
Fin des années 60

Quand on parle fromage, on aborde d'emblée un domaine qui possède son langage, ses définitions, son mode d'emploi, ses usages et son code. Quelques jalons sont utiles.

——— Ne confondez pas ———

• **Un vieux fromage et un fromage vieux.**

Le degré de mûrissement d'un fromage à pâte pressée cuite (Comté) ou non cuite (Édam, Cantal) peut atteindre une certaine dessication appréciée par certains amateurs : il s'agit d'un *fromage vieux*. Pour une Mimolette, on dit qu'elle est *étuvée*. Cette qualité n'a rien de commun avec l'état d'un fromage qui a trop attendu : un vieux fromage, neuf fois sur dix, est un rebut. Evitez d'accumuler les vieux restes : si telle variété ne vous tente plus ou vous déçoit une fois entamée, trouvez-lui une destination culinaire au plus vite.

• **Le taux de matière grasse** mentionné sur un fromage et sa teneur réelle en graisse.

Le pourcentage de matière grasse indiqué sur l'emballage ou l'étiquette de la boîte n'est pas calculé sur le poids total de fromage. Il correspond à la quantité de matière grasse contenue dans 100 g de ce qui resterait du fromage si l'on éliminait entièrement l'eau : c'est ce que l'on appelle l'extrait sec (poids du fromage après complète dessiccation). Cela veut dire que :

• 100 g de Comté à 45 % de M.G.
contiennent 38 g d'eau et 62 g d'extrait sec, donc
$$\frac{62 \times 45}{100} = 28 \text{ g de lipides.}$$

• 100 g de Camembert à 45 % de M.G.
contiennent 55 g d'eau et 45 g d'extrait sec, donc
$$\frac{45 \times 45}{100} = 20 \text{ g de lipides.}$$

• 100 g de Roquefort à 52 % de M.G.
contiennent 44 g d'eau et 56 g d'extrait sec, donc
$$\frac{56 \times 52}{100} = 29 \text{ g de lipides.}$$

Il faut bien avouer que le consommateur en général ignore la proportion réelle d'eau contenue dans le fromage qu'il achète.

En complément d'information, voici une liste des principaux fromages avec leur teneur réelle en matière grasse (pour 100 g).

Fromage frais à plus de 82 % d'eau	plus de 3 g de M.G.
Fromage frais à plus de 85 % d'eau	moins de 3 g
Petit-Suisse	9 à 18 g selon % en M.G.
Brie à 50 %	22 g
Camembert à 40 %	17,6 g
Camembert à 45 %	20 g
Coulommiers à 52 %	22,4 g
Maroilles à 45 %	20,2 g
Munster à 50 %	20 g
Pont-l'Évêque à 45 %	17,5 g
Cantal à 45 %	24,7 à 26 g
Mimolette à 40 %	21,6 g
Morbier à 45 %	23,4 g
Saint-Nectaire à 45 %	23,4 g
Emmental français	27,9 g
Gruyère de Comté	27,9 g
Bleu d'Auvergne à 50 %	26 g
Bleu des Causses à 50 %	25 g
Bleu de Bresse à 50 %	27,5 g
Fourme (en général)	27,5 g
Roquefort	30 g
Fromages fondus à 50 %	25 g

Il est donc exact, malgré les apparences, que 100 g de Boursault ou de Lucullus triple-crème contiennent moins de « lipides » que 100 g de Beaufort.

En revanche, la classification des fromages sur le plan commercial et légal se fait en fonction de la teneur annoncée en matière grasse. On distingue ainsi :

moins de 25 % de M.G.	fromage « maigre »
de 25 à 45 %	fromage
de 40 à 45 %	fromage « gras » (la majorité)
de 45 à 60 %	fromage « extra-gras »
de 60 à 75 %	fromage « double-crème »
plus de 75 %	fromage « triple-crème »

• **Un lait cru et un cru de lait.**
Est « cru » un lait qui n'a subi aucun traitement thermique : il s'agit donc de lait non pasteurisé. Un Camembert fermier « au lait cru » moulé à la louche, salé au sel sec et affiné un mois, a toutes les chances de surclasser un Camembert de laiterie industrielle au lait pasteurisé, salé en saumure et affiné en dix jours après réensemencement. Le Camembert au lait cru continue à se développer très rapidement, il voyage mal, ne supporte pas le stockage au froid et coûte souvent trois fois plus cher que le second : mais à maturité, il est inégalable.
Quant au « cru de lait », c'est une région bien circonscrite géographiquement, qui permet de définir les qualités d'un lait sélectionné : les laits collectés dans le pays d'Auge servent à la fabrication des Camemberts de Normandie d'appellation d'origine. Le cru de lait est l'un des éléments qui autorisent l'attribution d'une appellation d'origine.

• **Un fromage fermier et un fromage laitier.**
Le premier est fabriqué « à la ferme » avec le lait produit sur l'exploitation, en des quantités généralement minimes.
Le second est fabriqué en laiterie, que celle-ci soit de niveau artisanal ou de dimensions industrielles.
Il est simpliste d'opposer systématiquement la qualité intrinsèque du premier à la médiocrité inévitable du second. Le fait qu'un exploitant n'utilise que le lait de son propre troupeau pour fabriquer lui-même ses fromages à la main n'est pas nécessairement la garantie absolue que ceux-ci seront d'une saveur et d'un bouquet incomparables. Ce qui

compte avant tout, c'est la manière dont sont nourries les bêtes, puis la maîtrise de la fabrication. Un fabricant inexpérimenté qui nourrirait ses propres chèvres avec de l'ensilage au lieu de les laisser brouter du noisetier obtiendra des chabichous fermiers, certes, mais très moyens. En outre, avec le même lait cru, dans la même ferme, avec le même ferment, et avec la même maîtrise, à deux jours de distance, pour peu que le temps change, on peut obtenir un fromage excellent et un autre médiocre. En revanche, un fromage de petite laiterie où l'on possède parfaitement la technique traditionnelle est sans doute d'un niveau de qualité supérieur et surtout constant. Cela dit, un Cantal onctueux et noiseté obtenu avec le lait des vaches de Salers qui broutent les prairies du Puy Mary chaque été, affiné six mois sous le col de la Fageole dans des conditions idéales, est un véritable chef-d'œuvre à nul autre pareil. Le jour n'est pas encore venu où l'on ne fera plus de distinction entre fermier et industriel. Mais depuis le Caprice des Dieux qui fait figure d'ancêtre (1956), certains « nouveaux » fromages sont très appréciés de ceux qui n'aiment pas seulement le doux, l'onctueux et le crémeux : avec le Vieux Pané, le Rouy « crémier » ou la Tourée de l'Aubier, une tendance plus « corsée » se fait jour avec des produits de grande diffusion.

• **Un Chevreton et un Chevrotin.**

Il s'agit dans les deux cas de fromages au lait de chèvre (ou chèvre et vache mélangés), mais les Chevretons, théoriquement, proviennent du Massif central (Auvergne, Forez notamment) ou de Bourgogne, à pâte molle et à croûte naturelle, tandis que les Chevrotins sont des petites tommes à pâte pressée non cuite que l'on fabrique en Savoie. Il n'est pas exclu de trouver des exceptions à cette règle.

• **Le Fondu au marc et la Tomme au marc.**

Le premier est un fromage industriel également appelé « Fondu au raisin » : pâte fondue recouverte de pépins de raisin torréfiés et agglomérés. C'est un fromage de grande diffusion alors que la Tomme au marc est un fromage savoyard local.

À pâte pressée non cuite, il est mis à macérer dans une cuve de marc de raisins fermenté, ce qui lui donne une saveur piquante ; présenté à nu sous sa gangue de marc, il est rarement commercialisé en dehors de son terroir.

• **Un fromage frais et un fromage blanc.**

On prend souvent l'un pour l'autre, mais les deux termes ne sont pas exactement synonymes. Sont « frais » les fromages qui n'ont pas subi d'affinage et dont la fermentation est uniquement lactique : leur consistance molle peut subir un égouttage plus ou moins poussé, d'où des différences de texture. Le fromage « blanc » désigne souvent un produit vendu en pot, en faisselle ou en barquette, très mou à presque liquide (le « lissé »), alors que le fromage frais (Fontainebleau, Brie frais, Chèvre frais, Brousse, etc.) possède une « tenue » plus ferme.

• **Un fromage dur et un fromage sec.**

Un fromage dont la pâte, naturellement ferme, a vieilli devient inévitablement dur, même si, à l'origine, il s'agit d'un fromage à pâte pressée presque tendre, comme la Mimolette.

Un fromage « à pâte dure » fait partie de la famille des pâtes pressées cuites (Emmental, Beaufort, etc.).

Sec est un qualificatif qui définit le degré d'affinage du Chèvre : mi-sec, sec, très sec (allant jusqu'au « rocailleux »).

Un vrai Crottin de Chavignol séché et noirci par l'âge, durci et cassant, possède une odeur presque rance et un goût très piquant : la dessiccation du fromage aboutit dans ce cas à des caractères qui, d'habitude, sont des défauts et qui, ici, deviennent des qualités.

• **Un fromage fait et un fromage affiné.**

En fonction de leur mode de fabrication et de leur nature, les fromages subissent après l'égouttage un affinage plus ou moins prolongé, dans des conditions variables, avec des soins parfois très sophistiqués (il y a des Chèvres que l'on « caresse » à la mousseline, des croûtes lavées que l'on vaporise chaque soir, d'autres dont on perce la pâte pour qu'ils « respirent »). On dit alors d'un fromage qu'il est « fait » quand il s'agit d'une pâte molle affinée à cœur (dont le centre est uniformément amolli). Pour une pâte pressée ou cuite, on dit plutôt que le fromage est « mûr ». Incomplètement affiné, le fromage ne développe pas tout son bouquet, mais chaque amateur a sa préférence entre une pâte molle « mi-faite », « faite à cœur » ou « bien faite ». Si vous entretenez avec votre fromager des relations suivies et confiantes, il saura à quel moment tel produit est « fait » pour vous.

• **Le Vieux Lille et le Gris de Lille.**

On appelle souvent « Vieux Lille » la « Boule de Lille », c'est-à-dire la Mimolette française fabriquée dans les Flandres (mais aussi en Bourgogne et dans l'Ouest) : grosse boule un peu aplatie à pâte pressée orange sous une croûte paraffinée. Le « Gris de Lille », en revanche, est une variété de Maroilles affiné jusqu'à 5 mois avec lavage de la croûte à l'eau salée : croûte visqueuse gris rose, odeur violente et saveur frénétique. Surtout ne pas confondre les deux !

PREMIER INTERMÈDE CULINAIRE

*« J'aime mieux un fromage sans dîner
qu'un dîner sans fromage. »*

Anonyme

*Cuisine rapide et facile :
des formules savoureuses pour des « en-cas »
ou des petits repas sur le pouce*

— Les biftecks à la hambourgeoise —

Pour 4 personnes :
200 g de Saint-Paulin écroûté
600 g de viande hachée 1er choix
4 gros pains ronds au sésame pour hamburgers
4 œufs, 2 tomates, 2 oignons, ketchup, persil, paprika, sel, poivre vert, beurre.

Peler et hacher très finement les oignons et le persil ; les incorporer à la viande, avec un peu de sel et du poivre vert bien égoutté. Façonner quatre palets bien pressés et les faire cuire à la poêle dans du beurre. Pendant ce temps, préparer 4 œufs sur le plat ; peler et trancher les tomates en rondelles ; couper le Saint-Paulin en lamelles. Sur chaque pain rond (côté le plus épais), légèrement beurré, poser un bifteck cuit, deux rondelles de tomate et un quart de fromage. Poudrer de paprika et passer sous le gril pour faire fondre le fromage. Placer enfin l'œuf sur le plat, le plus chaud possible, puis le « couvercle » du petit pain. Arroser de ketchup à volonté.

Variante : tout fromage à pâte pressée non cuite peut convenir, une fois écroûté ; ne pas le choisir trop tendre. On peut remplacer le bœuf haché par du veau haché, voire du mouton haché (dans ce cas, utiliser du ragoût déjà cuit et assaisonné à la menthe par exemple).

L'omelette à la ratatouille et à la Tomme

Pour 2 personnes :
4 œufs, 4 cuillerées à soupe de ratatouille bien égouttée, basilic, sel, poivre, 80 g de Tomme au lait de vache écroûtée.

Faire réchauffer la ratatouille sur feu doux à couvert. Battre les œufs en omelette, saler, poivrer et ajouter le basilic ciselé. Faire cuire l'omelette. Quand elle est bien prise, répartir le fromage en lamelles, couvrir et laisser cuire encore quelques minutes. Faire glisser sur un plat chaud légèrement beurré. Verser la ratatouille brûlante au centre.

Variante : on peut en fin de cuisson ajouter un peu de Parmesan râpé par-dessus et faire gratiner ; on peut également enrichir l'omelette de languettes de jambon cuit ou cru, de fines rondelles de chorizo ou de petits lardons.

La pizza minute aux deux fromages

Pour 2 personnes :
4 grandes tranches de pain de mie (à mie très dense, légèrement rassie)
100 g de fromage des Pyrénées au lait de vache à pâte molle et 50 g de Tomme de brebis très sèche (à râper)
1 oignon, 2 tomates, olives noires, origan, 2 fonds d'artichauts, huile d'olive
5 ou 6 grosses crevettes décortiquées.

Dans un grand plat à four rectangulaire légèrement huilé, disposer les tranches de pain en les juxtaposant. Répartir par-dessus le fromage des Pyrénées en fines lamelles ; recouvrir avec l'oignon pelé finement haché, les tranches de tomates pelées et quelques olives noires dénoyautées et hachées. Glisser au milieu les fonds d'artichauts finement escalopés. Saler, poivrer, parsemer d'origan. Disposer enfin les queues de crevettes tronçonnées en décor. Poudrer de fromage de brebis râpé et arroser le tout d'un filet d'huile d'olive.

Faire cuire à four doux pendant 12 à 15 minutes, puis monter le feu pour faire gratiner en surface. Servir aussitôt.

Variante : utiliser pour la garniture des champignons escalopés à la place des fonds d'artichauts, des petits dés de jambon blanc, du blanc de volaille cuit à la place des crevettes, du poivron ou des câpres au lieu des olives ; pour les fromages, associer par exemple Saint-Paulin et Beaufort râpé, Tomme de Savoie et Parmesan, Mimolette jeune et Mimolette très sèche (réduite en poudre).

—— Les chiens chauds gratinés ——

Pour 2 personnes :
2 petits pains longs pas trop cuits
2 saucisses chipolatas
20 g de Roquefort et 20 g de beurre, quelques lamelles de Cantal sans croûte.

Couper les petits pains dans la longueur sans les séparer complètement. Les tartiner intérieurement de beurre de Roquefort (beurre ramolli malaxé avec le Roquefort émietté).

Faire par ailleurs griller ou poêler les saucisses en veillant à ce qu'elles n'éclatent pas. Glisser une saucisse dans chaque petit pain préparé.

Glisser quelques lamelles de Cantal de chaque côté des saucisses et faire gratiner pendant 5 minutes. Servir très chaud.

Variante : la formule classique du hot-dog se prépare avec une saucisse de Francfort, de la moutarde et du Gruyère en lamelles ou râpé ; on peut également utiliser des petites saucisses anglaises à la sauge (à griller, avec du beurre de raifort et du Cheddar), ou même des merguez (beurre de tomate et Saint-Paulin).

—— Les canapés baltiques ——

Pour 4 personnes :
un pain de mie prétranché de 500 g environ (en tranches pas trop fines)
100 g de Beaufort, 100 g de beurre de saumon, sel, poivre, persil, ciboulette
1 boîte de saumon au naturel, citron
100 g de Fribourg.

Égoutter la chair de saumon ; lui incorporer dans une terrine le zeste du citron finement râpé, le jus du demicitron, le persil et la ciboulette hachée (au goût) ; assaisonner à volonté. Tartiner les tranches de pain de mie de beurre de saumon. Répartir par-dessus le Beaufort finement râpé, puis, en seconde couche, le mélanger à la chair de saumon. Recouvrir avec le Fribourg en fines lamelles. Arroser de quelques gouttes de jus de citron.

QUAND LUCULLUS INTERROGE HIPPOCRATE

> « *Frugalité du premier âge,*
> *Mets innocents autant que sains,*
> *Dès que vous fûtes hors d'usage,*
> *On eut besoin de médecins.* »

Anonyme, XVIIIe s.

—— Vertus et qualités du fromage ——

> « *J'ai vécu ainsi pendant des années : un Bondon de 4 sous, du pain, un verre de café pour mon déjeuner comme pour mon dîner et je n'en suis pas mort.* »

Paul Léautaud,
Journal, 27 avril 1946.
(Le Bondon est un petit Neufchâtel.)

La diététique n'est pas une science récente. N'oublions pas que le terme vient du grec *diaita*, « genre de vie ». Et les Grecs, réputés pour leur sobriété, surent dégager dès l'Antiquité les règles du bien-manger. Que figure au menu du citoyen modèle défini par Socrate dans *la République* de Platon ? Du pain, du miel, des olives et des lentilles, du poisson, des noix et des figues, et... du fromage ! Parfait équilibre et harmonie des saveurs.

Chez les Romains, la nourriture des soldats et des athlètes reposait essentiellement sur le fromage, le pain de gruau et les figues.

Devenu un produit élaboré, affiné, varié et diversifié, le fromage, à partir de la fin du Moyen Âge, suscite des études directement thérapeutiques, dont la plus complète est celle de Nicolas de La Chesnaye, dans sa *Nef de la Santé* : « Le meilleur fromage est celui lequel déclinant à suavité et aucune douceur n'est point trop salé et est moyen entre le dur et le mol, le visqueux et le flangible. Le fromage mol est de moult grand et bon nourrissement. Il engraisse et est de bonne viande pour ceux qui crachent le sang. Il donne bon remède et confort à la poitrine et à l'estomac... Il a cette vertu qu'il garde et défend les fumées de monter en la tête. »

Dans ses *Confessions*, Jean-Jacques Rousseau parlait plus clair : « Avec du laitage, des œufs, des herbes, du fromage, du pain bis et du vin passable, on est toujours sûr de me bien régaler. »

Le Cuisinier et le Médecin, ouvrage fondamental de Lombard publié en 1855, se montre encore plus précis : « Le caillé... est un aliment léger et très rafraîchissant. Dans les fromages blancs se développe une petite quantité d'acide lactique qui, au lieu de retarder la digestion comme les autres acides, semble stimuler l'estomac... Dans les fromages de petites fermes (Gruyère, Chester, Parmesan), les matières caséeuses et butyreuses ont complètement changé de propriétés : elles sont devenues des aliments aussi stimulants que nutritifs qui, associés au pain, fournissent un repas suffisamment réparateur. »

Le Guide de la Bonne cuisinière, édité à Paris en 1887, énonçait quant à lui une affirmation lapidaire et parfaitement convaincante : « Le fromage a deux avantages, il fait digérer celui qui a bien dîné et il fait dîner celui qui a mal dîné. » On ne saurait mieux vanter les indéniables qualités nutritives de cet aliment irremplaçable, qui, depuis la plus haute Antiquité, est synonyme de nourriture saine et naturelle, reconstituante et précieuse pour l'équilibre de l'organisme.

Au IVᵉ siècle, le poète chrétien Prudence évoque avec lyrisme le plat de résistance d'un repas végétarien : « Nos seaux écument de la traite neigeuse prise à de doubles mamelles, et le blanc liquide, travaillé par la présure, se condense, s'épaissit et le frêle osier d'une corbeille peut enfermer la fraîcheur du lait. » Avant que les dictons populaires ne se fassent l'écho d'une vérité évidente : « Pour qui mange du fromage, jamais santé ne fait naufrage », car : « Fromage et pain est médecine au gain. »

Caricature du XIXᵉ siècle, Paris.

— Calcium, protéines et vitamines —

« ... *un certain rat, las des soins d'ici-bas,*
Dans un fromage de Hollande
Se retira loin du tracas. »

Jean de La Fontaine

Aujourd'hui, diététiciens, médecins et gastronomes s'accordent tous à reconnaître la haute valeur nutritive du fromage. Pourquoi ? Le fromage apporte à l'orga-nisme un maximum de nutri-ments, sous une forme parti-culièrement agréable et diversifiée. Calcium, protéi-nes, vitamines et sels miné-raux font du fromage un aliment exceptionnel.

• La consommation actuelle moyenne en France, chaque jour, de lait et de produits lai-tiers permet de couvrir 60 à 80 % des besoins en **calcium** de l'individu.

« Rations » quotidiennes de fromage conseillées :	
2 à 5 ans	20 à 25 g (+ 50 cl de lait)
6 à 11 ans	25 à 30 g (+ 50 cl de lait)
12 à 15 ans	30 à 35 g (+ 50 cl de lait)
au-delà	30 à 50 g (+ 30 à 75 cl de lait)

Les fromages les plus riches en calcium sont les pâtes pressées cuites et les moins riches sont les froma-ges blancs frais. À titre indicatif,

100 g de from. frais contiennent	75 à	170 mg de calcium
100 g de from. à pâte molle	150 à	380 mg
100 g de from. pressé non cuit	657 à	865 mg
100 g de from. persillé	722 à	870 mg
100 g de from. pressé cuit	900 à 1 100 mg	

Un quart de litre de lait fournit 300 mg de calcium, ce que procure également 80 à 100 g de Camembert, 50 g de Saint-Paulin, 45 g de Roque-fort et 30 g de Gruyère, alors qu'il faudrait absorber 1 kilo d'oranges ou 850 g de chou pour obtenir le même apport de calcium.

La teneur calcique d'un fromage varie selon sa teneur en eau et son procédé de fabrication, mais de toute façon le moins riche des fromages en calcium comporte à poids égal 10 fois plus que la viande et 4 fois plus que le poisson.

• La consommation quotidienne de produits laitiers (fromage et lait) contribue à couvrir les besoins de l'organisme en **protéines**, substances essentielles à la vie, éléments bâtisseurs du corps humain.

Les protéines du fromage sont d'une qualité exceptionnelle car elles subissent au cours de la fermentation une sorte de prédigestion qui les rend plus facilement assimilables. C'est la « protéolyse » : la flore bactérienne procède à un fractionnement des protéines en peptides et en acides aminés. La qualité protéique des fromages équivaut à celle de la viande, du poisson ou des œufs, mais il faut souligner que, pour un coût généralement plus modeste, 70 g de fromage cuit (Beaufort, Comté, etc.) apportent en moyenne autant de protéines que 50 cl de lait, 100 g de viande ou de poisson ou 2 œufs.

Précisons que :

100 g de from. frais renferment	3,7 à 15 g de protéines
100 g de from. persillé	20 g
100 g de pâte molle	20 à 21 g
100 g de pâte pres. non cuite	24 à 27 g
100 g de pâte cuite	27 à 29 g

• L'intérêt nutritionnel des fromages passe par ailleurs par leur richesse en **vitamines**. Celle-ci est liée à la teneur en matière grasse. Les fromages contiennent les vitamines dites « liposolubles », notamment la vitamine A (pour la croissance, l'état de la peau et la vision) et D à l'état de traces (antirachitisme), en quantités proportionnelles aux matières grasses contenues dans le fromage. (Elles sont donc absentes des fromages fabriqués avec du lait écrémé.) On trouve également dans les fromages diverses vitamines du groupe B, utiles pour la bonne utilisation des glucides et la transmission de l'influx nerveux, etc.

Par rapport au lait, le fromage présente plusieurs

avantages sur le plan diététique :
— teneur plus importante en protéines et en lipides, d'autant plus que la pâte est pressée et cuite ;
— concentration accrue en sels minéraux, car le calcium et le phosphore sont retenus dans le caillé ; le salage apporte naturellement en plus du chlorure de sodium ;
— concentration accrue en vitamines A et D, avec adjonction des vitamines B au stade de l'affinage, par suite de l'activité des micro-organismes ;
— absence ou traces de lactose (le sucre du lait), éliminé au moment de l'égouttage et de la maturation.

——— Quatre consommateurs ——— privilégiés

S'il n'est pas perçu comme un pur plaisir gastronomique le fromage apparaît comme un aliment tout spécialement conseillé à quatre catégories de consommateurs.

• **Les sportifs.** L'activité sportive accroît nettement les besoins en calcium : seuls les produits laitiers peuvent répondre à cette demande. Outre le lait concentré, l'alpiniste, le randonneur et le skieur de fond font largement intervenir dans leur alimentation les fromages cuits ou fondus. Ayez, vous aussi, le réflexe fromage, que vous soyez cycliste du dimanche, jogger occasionnel ou adepte fervent de la marche à pied : Emmental ou Cantal enveloppé de papier aluminium en portions toutes prêtes dans la poche ou dans le sac à dos, et surtout solide petit-déjeuner, avec fromage blanc, Mimolette, fromage fondu en tartine, avec fruits secs et céréales.

• **Enfants et adolescents.** Affirmer que les moins de 15 ans ont absolument besoin de lait est une évidence. En général, ils l'apprécient. Mais dans le cas contraire, yaourts, Petits-Suisses et fromages blancs apportent des réponses diversifiées. Petit-déjeuner et goûter doivent ménager une place au fromage, ainsi que la collation de 10 heures du matin. Un morceau de pain et une tranche de fromage peuvent parfaitement être présentés comme une véritable friandise.

• **Femmes enceintes ou qui allaitent.** Les besoins en produits laitiers s'imposent ici aussi pour éviter une carence en calcium qui serait préjudiciable. Consommation quotidienne conseillée : 75 cl de lait ou équivalent pour la femme enceinte et 1 litre pour celle qui allaite. Seuls le lait et le fromage sont en mesure de répondre à l'énorme demande de calcium qui existe dans ces deux cas. C'est notamment au petit-déjeuner et entre les repas, que le fromage peut avoir une place privilégiée, ce qui peut éviter également de faire des repas trop copieux.

• **Le troisième âge.** C'est relativement tôt dans la vie de l'individu (vers la quarantaine) que le tissu osseux commence à vieillir ou du moins se régénère plus difficilement. Pour la femme, à la ménopause, ce phénomène s'accentue en outre pour des raisons hormonales. Chez les personnes âgées, l'absorption et l'utilisation du calcium se trouvent donc diminués. C'est pourquoi des apports suffisants d'aliments riches en calcium doivent impérativement être assurés : 75 cl de lait par jour, plus 30 à 35 g de fromage (en variant les types).

Attention, fromage...

Dans un chapitre consacré à la diététique du fromage, il serait malhonnête de ne pas attirer l'attention sur le fait que cet aliment — si riche de qualités, de vertus, d'avantages, de bienfaits — contient néanmoins diverses substances qui, dans certains cas bien précis, peuvent être contre-indiquées.

• **Le sel :** la teneur en sodium des fromages est souvent élevée. Ils comportent en général plus de 300 mg de sodium pour 100 g et sont alors interdits pour les régimes désodés. Mais on admet les yaourts, les Petits-Suisses et le fromage blanc (qui renferment de 30 à 50 mg de sodium pour 100 g, sauf les carrés demi-sel). Pour les malades contraints au régime sans sel, selon le taux de sodium prescrit, il existe divers fromages spéciaux à pâte pressée non cuite, genre Gouda ou Tomme, à teneur réduite en sodium.

• **La matière grasse :** plus un fromage est « sec » et « dur », compact, plus il est « gras » ; plus il est riche en eau, plus son taux de matière grasse est faible. Paradoxalement, un fromage à 60 % de matière grasse peut être moins « gras » qu'un autre qui annonce 45 % seulement. Les régimes hypolipidiques et hypocaloriques font toujours une large part aux fromages frais.

Il est essentiel de bien comprendre qu'un fromage portant la mention « 45 % de matière grasse » ne renferme pas 45 g de lipides pour 100 g de fromage ! La teneur en matière grasse est calculée par rapport à l'*extrait sec.*

• **Teneur réelle des fromages en lipides**

Il existe certains fromages classiques naturellement peu gras : le Gaperon fabriqué au babeurre (30 %) et certaines Tommes maigres de Savoie (20 à 40 %). Mais une nouvelle catégorie de fromages a fait son apparition sur le marché : Elle et Fine, Jeunesse, Élan, Sylphide, Escapade, Fluette, Poids Plume, Petite Caille, etc. Leurs noms parlent d'eux-mêmes.

Doux et souples, ils ne prétendent pas à des labels gastronomiques. Mention spéciale néanmoins pour le Merzer, une pâte molle à croûte lavée allégée, mais d'un goût assez personnel, le Saint-Hélian en boîte, une croûte fleurie à 30 %, et surtout le petit disque plat de Vervallon au lait cru (23 % de matière grasse), fabriqué artisanalement dans la Creuse.

Dans *les Sept Péchés Capitaux*, le romancier Eugène Sue imagine un mystérieux personnage, Monsieur Appétit, en visite auprès d'un malheureux chanoine qui a perdu le goût du boire et du manger. L'ordonnance somptueuse

100 g de fromage frais « double-crème »		18,5 à 25 g
100 g de fromage frais	40 %	6 à 12 g
100 g de pâte molle à croûte fleurie	45 %	18,2 à 27,3 g
100 g de pâte molle allégée	25 %	8,1 à 14,1 g
100 g de pâte molle à croûte lavée	45 %	21,3 à 33,1 g
100 g de pâte demi-dure	45 %	23 à 28 g
100 g de pâte demi-dure allégée	25 %	12 g
100 g de pâte cuite	45 %	30 à 33 g
100 g de pâte persillée	40 %	25 à 30 g
100 g de fromage de chèvre	45 %	28 à 32 g
100 g de pâte fondue enrichie	60-70 %	30 à 33,5 g
100 g de pâte fondue allégée	20-25 %	6 à 9 g
100 g de pâte fondue	40-50 %	23 g

qu'il lui rédige se termine sur le dessert suivant, que nous recommandons à tout lecteur ayant du vague à l'âme : « Fromage de Brie de la Ferme d'Estouville, près de Meaux. Cette maison a eu, pendant 40 ans, l'honneur de servir la bouche de M. le Prince de Talleyrand, qui proclamait le fromage de Brie roi des fromages (seule royauté à laquelle ce grand diplomate soit resté fidèle jusqu'à sa mort). Boire un verre ou deux de vin de Porto tiré d'une barrique trouvée sous les décombres du grand tremblement de terre de Lisbonne. Bénir la Providence de ce miraculeux sauvetage et vider pieusement son verre. »

Pour se mettre au régime fromage

*Du petit-déjeuner
au souper de minuit,
du fromage 24 heures sur 24*

• **Petit-déjeuner complet, breakfast ou Frühstück :** le fromage est indispensable et naturellement présent sous forme de fines tranches de pâtes pressées ou cuites, délicieuses sur des tranches de pain de seigle, des crackers ou du knäckebrot croustillant.

Le grand éventail des pâtes fondues diversement aromatisées (notamment au jambon ou goût fumé) fournit une bonne ressource commode à utiliser, de même que les portions de fromage fondu à tartiner.

Les fromages frais, enfin, constituent pour certains, avec des compotes ou des fruits frais ou séchés, du sucre, etc., un petit-déjeuner rêvé ou bien complément idéal pour le Muesli. Un gâteau au fromage blanc, une tourte au fromage ou même une omelette ou un croque-monsieur pourront même séduire les amateurs de petit-déjeuner nutritif et savoureux.

C'est le café noir ou le thé nature qui conviennent le mieux comme boisson pour un petit-déjeuner où le fromage joue un rôle important, comme en Hollande où l'on déguste avec appétit des sandwiches au fromage.

• **Casse-croûte ou en-cas impromptu :** le fromage constitue une solution commode, nourrissante, facile à préparer et à transporter. Le sandwich au pain de mie ou au pain de seigle (plus pratique que le quart de baguette) offre toutes les variations possibles avec le fromage : pâtes pressées et pâtes cuites, de préférence avec tomate, moutarde ou crudités.

La pizza bien fromagée, ou mieux encore le calzone (pizza repliée en chausson fourrée de fromage), constitue l'en-cas idéal à la mode italienne.

Les spécialités fromagères — Boursin aromatisé, Tartare, Chicotin et autres Saint-Moret —, à tartiner ou à déguster à la petite cuiller, sont d'un emploi tout trouvé.

• **Lunch et pique-nique :** canapés, toasts et sandwiches fournissent une fois de plus un support rêvé à toutes les variations fromagères, avec charcuteries assorties (en très fines lamelles), paniers de crudités et gamme de pains aux saveurs multiples, sans oublier les brochettes (crues ou à rôtir). Salades composées, croûtes gratinées, quiches et tartes au fromage s'imposent en diversité, sans compter les omelettes, les cheese-burger, voire les tortillas mexicaines, ou même les plats de pâtes bien fromagées pour un déjeuner rapide. Le *churasco* mexicain offre une variante intéressante du hamburger au fromage : petit tournedos poêlé (ou bifteck entier ou haché en palet), recouvert de fromage en tranche (pâte pressée), passé sous le gril, posé sur un petit pain rond, avec sauce tomate et tranches d'avocat, couvercle de pain par-dessus.

• **Déjeuner :** la gamme des recettes au fromage, en entrées chaudes ou froides, en plat principal (poisson, viande, volaille), en gratin avec des légumes, en plat de pâtes ou de riz, en dessert, sans compter bien entendu le plateau de fromages classique, permet au fromage de jouer le premier rôle au repas principal de la journée. Sachez le doser et le répartir. Faites-le figurer par exemple en salade composée puis en plateau ; en gratin de lasagne et en dessert ; en poulet (ou en raie) au fromage et en plateau, etc.

• **Quatre-heures :** une excellente idée pour les goûters des écoliers, avec les fromages fondus, les carrés demi-sel ou les tranches de Gouda en sandwiches ou avec un fruit et des petits biscuits salés.

• **Coupe-faim et petites fringales :** si vous ressentez un creux désagréable au milieu de vos activités, calmez-la de préférence avec quelques bâtonnets de Beaufort, un pot de yaourt ou une coupelle de fromage blanc, plutôt qu'avec des biscuits sucrés. Autre solution : un fruit et du fromage (Tomme, Saint-Paulin, Emmental, Murol, etc., avec une demi-pomme, du pamplemousse, ou même des radis ou des branches de céleri).

• **Cocktail, apéritif et buffet :** encore une occasion de choix pour imposer le fromage dans tous ses états ! Mimolette, Comté, Ossau-Iraty sont particulièrement recommandés pour accompagner les vins d'apéritif (Porto, Banyuls, Xérès, etc.).

Le panier de crudités et ses sauces au fromage blanc diversement aromatisées ont

désormais droit de cité dans les apéritifs. Les canapés garnis, les « hérissons » de Gouda ornent les buffets, et certains vernissages parisiens choisissent, pour honorer leurs invités, un somptueux plateau de fromages bien conçu par un fromager affineur.

Deux recettes spéciales pour l'apéritif :

les biscuits fourrés au Cantal : pétrir dans une terrine 250 g de farine, 60 g de beurre, 70 g de Cantal râpé, 50 g de noix hachées, 3 jaunes d'œufs ; laisser reposer, abaisser sur 3 mm, y découper des rondelles, faire cuire sur tôle beurrée pendant 20 min à 200° C environ ; laisser refroidir, garnir la moitié des biscuits avec le mélange suivant : 80 g de beurre, 40 g de Chester râpé, 20 g de Parmesan, sel, poivre blanc, paprika ; placer par-dessus les autres biscuits ; presser pour bien « coller » ; réserver au frais jusqu'au service.

les tranches poivronades au fromage : fouetter vivement 100 g de beurre ramolli et 3 œufs entiers ; ajouter 200 g de farine tamisée et un demi-paquet de levure alsacienne, puis un poivron rouge épépiné et très finement haché, deux branches de céleri également finement hachées, du sel, du poivre, du sel de céleri et enfin 200 g de Beaufort ou de Comté râpé assez grossiè-

rement ; verser cette pâte dans un moule à manqué et faire cuire 45 min au moins à 200° C ; laisser refroidir et découper en tranches.

• **Dîner :** la théorie permettrait de concevoir un menu entier où chaque plat comporterait du fromage cuisiné d'une manière originale et savoureuse, mais l'expérience risquerait de lasser vos convives. Entre les soufflés, les crêpes garnies, les salades composées, les potages et les gratins de fruits de mer ou de volaille, les viandes grillées au beurre de Roquefort ou les paupiettes de poisson fourrées au fromage, sans oublier les croûtes au Cheddar, les tartelettes et les feuilletés, voilà de quoi concevoir les dîners les plus raffinés. Mais pour un dîner rapide, le fromage a également une place de choix, soit avec du poulet froid ou des crudités, soit, d'une manière plus originale, en **papillotes :**
— prendre des tranches de Tomme de Savoie épaisses de 1,5 cm (ou bien du Provolone, voire du Saint-Paulin) ; les écroûter et les parer en grands rectangles ou en rondelles ; les disposer sur des carrés de papier aluminium légèrement huilés et parsemés de fines herbes ; les recouvrir de pulpe de tomate concassée, saler, poivrer et parsemer de miettes de crackers mélangées avec du

Parmesan râpé ; passer sous le gril jusqu'à ce que le fromage commence à fondre (ne pas refermer les papillotes, mais redresser simplement les côtés) ; servir brûlant avec des toasts.

Ou bien encore, à la Suisse, selon la recette des délicieux **rösti** :

— confectionner une galette de pommes de terre crues râpées mélangées avec de l'oignon, du sel et du poivre ; la faire poêler des deux côtés sur feu assez vif, puis recouvrir de tranches d'Emmental, poudrer d'un peu de paprika et passer sous le gril ; servir avec une salade verte.

Enfin, la solution de la fondue, de la raclette, avec leurs innombrables variantes, fournit une bonne occasion de dîner entre amis.

• **Souper** : la très classique gratinée à l'oignon dégustée à minuit passé en sortant d'un spectacle a ses adeptes déclarés. Cette délicieuse soupe typiquement parisienne (alors que la simple soupe à l'oignon est d'origine lyonnaise) se prépare avec du Comté ou de l'Emmental, mais les gratinées au Cantal ou relevées avec une pointe de Bleu d'Auvergne sont aussi savoureuses (relever le tout de vin blanc, de Porto ou de Madère).

Et puis, au milieu de la nuit, combien de « fous » du fromage n'ont-ils pas craqué de gourmandise devant une « lichette » de Brie, une dernière cuillerée de Vacherin bien crémeux ou même quelques tranches de Caprice des Dieux...

LES QUESTIONS DU NÉOPHYTE

« Comment gouverner un pays où il existe 258 variétés de fromages ? »

Général de Gaulle

Cet aphorisme sur la variété des fromages qui rendent la France *« si plaisante à vivre et si difficile à gouverner »* fut également attribué à Valéry Giscard d'Estaing.

Tout ce que vous aimeriez bien savoir sur le fromage mais que vous n'avez pas encore osé demander...

• Faut-il toujours acheter les fromages selon la saison ?

Il est bien entendu impossible d'avoir en tête le calendrier complet des fromages quand on va faire ses courses ! Mais il est vrai que les fromages se déterminent par la saison où ils sont au mieux de leur forme. Cela dit, un bon fromager est toujours de bon conseil et les maîtres affineurs affiliés à l'Association des fromagers artisans affineurs (A.F.A.A.) proposent chaque mois une liste des quatre ou cinq fromages traditionnels qu'il convient de déguster. En réalité, chaque saison possède ses grands fromages, avec un éventail assez large pour satisfaire tous les goûts. Sauf le Vacherin (fromage d'hiver exclusivement) et la grande majorité des Chèvres à savourer en été, il existe pour chaque mois de quoi composer un plateau équilibré. Néanmoins si l'on veut déguster tel fromage particulier ou telle spécialité régionale, on aura intérêt à consulter un calendrier établi par un professionnel. Grosso modo, c'est l'automne et le début de l'hiver qui sont les moments privilégiés de l'amateur.

Trois plateaux composés par Philippe Olivier, artisan affineur à Boulogne-sur-Mer :

Octobre : Trappiste de Bricquebec, Picodon de l'Ardèche, Bleu de Septmoncel, Pouligny-Saint-Pierre, Boulette de Papleux, Brie de Coulommiers et fromage à la pie, avec un Château-Laniote 1976.

Novembre : Brie de Melun, Pavé d'Auge, Tomme de l'Isère au gène de marc, Bleu des Causses, Mimolette, Cœur de Camembert au Calvados, avec un Gevrey-Chambertin 1978.

Décembre : Tomme de Romans affinée, Brie de Meaux, Époisses au marc de Bourgogne, Roquefort, Bethmale, Saint-Rémy, Boulette de Cambrai, avec un Château-Haut-Brion 1974.

• Quels sont les fromages qui se conservent le mieux ?

Certaines Tommes ou les fromages du type Beaufort, Salers ou Parmesan peuvent « durer » plusieurs années... Pour votre usage domestique, cependant, n'achetez jamais trop de fromages à l'avance. Choisissez-les à point (ou pas tout à fait) et arrangez-vous pour les consommer en deux à trois jours. Ce sont les « Bleus » et le Roquefort les plus fragiles : ils se dessèchent vite et craignent le trop grand froid.

• Doit-on retirer la croûte du fromage ou peut-on la manger ?

Certains disent d'un ton impératif : on ne mange jamais la croûte, c'est le milieu où se forment les moisissures et les fermentations ! D'autres ne se posent même pas la question et dégustent avec gourmandise leur portion de Camembert ou de Maroilles, voire de Cantal, sans l'écroûter. Les pâtes pressées, néanmoins, possèdent une croûte dure plus ou moins épaisse rarement comestible. Inversement certains Chèvres ou fromages à croûte « naturelle » ne possèdent pratiquement pas de croûte. En réalité, selon que vos papilles apprécient ou non les sensations fortes, vous écroûterez votre fromage selon que vous jugerez appétissante ou non son « enveloppe » extérieure. Mais on n'écroûte jamais à l'avance les fromages que l'on dispose sur un plateau. Un dernier conseil : si vos convives font honneur aux fromages que vous leur servez, veillez à éliminer les croûtes rapidement pour éviter les étalages disgracieux sur le bord des assiettes.

• On parle toujours de la grande diversité des fromages français. Combien y en a-t-il ? Et pourquoi tant ?

Si la tradition recense environ 400 fromages français, il s'agit très souvent de variétés sans doute différentes par une nuance de goût, mais très voisines par la fabrication et le lait utilisé. Image-choc : on dit qu'il existe en France autant de fromages que de jours dans l'année. On arriverait en effet sans trop de mal à déguster chaque jour un fromage différent. En réalité, avec deux centaines de variétés bien typées, on obtient un tableau assez proche de la réalité actuelle (en ne prenant en ligne de compte que les fromages « traditionnels », sans les marques ni les spécialités de tel ou tel fromager). Pourquoi tant ? La France occupe en Europe une situation privilégiée du point de vue climatique ; elle bénéficie en outre d'un bon équilibre entre les plaines et les reliefs, d'où une diversité de terroirs très favorable à l'émergence de produits très variés. Les pays limitrophes parmi les plus « fromagers » (Hollande, Suisse, Italie) se caractérisent par une prédominance dans un domaine (cheptel de vaches laitières, pays de montagne, climat méditerranéen) qui réduit d'autant la gamme des variétés disponibles.

• **Pourquoi dit-on « entre la poire et le fromage » et non l'inverse ? Le dessert et les fruits se servent pourtant bien après le fromage...**

Aujourd'hui, dans un repas classique, le fromage constitue en effet le dernier mets salé avant le sucré (pâtisserie, glace, fruits, etc.), mais jusqu'à une époque encore récente le fromage faisait partie du dessert ou même s'y substituait. Dans son *Traité de la table*, Maurice des Ombiaux (1930) précise : « Le dessert n'est bon qu'autant qu'il est court et relevé. Qu'y a-t-il de plus relevé qu'un fromage ? À la Belle Époque, en Angleterre, le dessert jouait un rôle important, le dessert du vieux Chester, du Stilton et des vins âgés. Les femmes et les enfants se retiraient et leur départ faisait reprendre le dîner par les vins de grand choix. C'est alors que les conversations hardies et hautes s'entamaient... » À noter que la locution « entre la poire et le fromage » s'emploie aujourd'hui dans le sens : « À la fin du repas, quand les propos deviennent moins sérieux » (Robert).

• **Pourquoi trouve-t-on un tel écart de prix entre deux Camemberts ?**

Des noms comme Lanquetot, Gillot, Grand Béron de Vallée ou Jort offrent une garantie de qualité qu'il est logique de payer. La notoriété et la qualité de la fabrication expliquent largement qu'un camembert fabriqué en Dordogne ou dans le Dauphiné est deux fois moins cher qu'un Camembert Normand. Dernier conseil : entre un camembert venant du Calvados (14), de la Manche (50) ou de l'Orne (50), choisissez de préférence le premier.

• Comment choisir le « bon » fromager quand on ne s'y connaît pas en fromages ?

La moindre localité française possède au moins un marchand de fromages, en plus du marché et des fromagers itinérants. Dans les grandes villes, on voit se multiplier depuis un quinzaine d'années les boutiques à l'enseigne de « la Ferme Saint-... » Décor néo-rustique et faux toit de chaume ne sont pas (nécessairement) des garanties. Avant de fixer votre choix sur un fromager, livrez-vous à une première enquête. Les rayons, les vitres, les planches et les instruments de coupe sont-ils propres ? Et le plateau de la balance ? Les fromages sont-ils entassés, sortis de leur emballage, empilés au petit bonheur ? Les entames sont-elles rafraîchies ? Les fromages sont-ils bien situés derrière des vitres de protection, ou du moins hors de portée des curieux ? Les étiquettes sont-elles propres et lisibles, avec le prix et la teneur en matière grasse si nécessaire ?

La balance est-elle face au client ? Perçoit-on une impression générale de fraîcheur et de propreté ? Mais surtout, le fromager ou ses vendeurs répondent-ils à vos questions aimablement ? Vous explique-t-il ses suggestions ? Privilégie-t-il les « bonnes clientes » par rapport aux clients occasionnels ? Soyez attentif à ces « détails » et vous en déduirez vous-même l'adresse qui vous apportera les plus grandes satisfactions.

• Quand on s'y connaît encore moins en vins qu'en fromages, comment fait-on ?

Les encyclopédies et les guides des fromages suggèrent tous (sans forcément s'accorder entre eux) des tableaux très complets fournissant tous les mariages possibles. Gournay ? Bourgogne aligoté ! Chaource ? Chablis ! Saint-Marcellin ? Côtes-du-Rhône ! Beaufort ? Mondeuse ! Murol ? Saint-Pourçain ! Brie ? Corton ! Comme si l'hôte pouvait se permettre de puiser à volonté six ou sept bouteilles différentes dans sa cave pour un seul plateau ! En général, un plateau de fromages classique rassemble au minimum une pâte molle à croûte fleurie, une pâte molle à croûte lavée, une pâte persillée, un chèvre et une pâte pressée cuite. Si vous prenez un vin rouge assez bouqueté mais pas trop corsé, vous êtes sûr de ne pas faire d'erreur grossière : Beaujolais, Médoc jeune ou Côtes-du-Rhône. Plus la force des fromages monte (notamment avec des pâtes molles à croûte lavée — Livarot, Maroilles, Dauphin, Rollot — ou des Bleus), plus le vin doit être charpenté et généreux. Pour un plateau de Chèvres, un Sancerre convient très bien. Pour un plateau « régional », choisissez un vin de pays en accord. Pour un plateau traditionnel : un rouge, Bordeaux ou Bourgogne un peu corsé, ou encore un Cahors.

• Quelles quantités de fromages doit-on servir sur un plateau ?

Tout dépend évidemment de l'appétit des convives, du menu qui a précédé et du dessert prévu. Mais en règle générale pour un repas classique (entrée, plat de viande ou de poisson avec garniture, salade, fromage *et* dessert), on conseille autant de variétés de fromages que de convives, en comptant 50 à 60 g environ par personne. Il est recommandé, pour une tablée nombreuse, de prévoir deux plateaux, éventuellement avec des variétés différentes.

LE FROMAGE, QUELLE HISTOIRE !

« Le lait caillé est l'ancêtre de notre fromage que les hommes n'ont fait travailler, par d'ingénieuses et savantes fermentations, que longtemps plus tard. Toute l'Antiquité, Homère et la Bible, est remplie d'un parfum rustique de fromage blanc. »

Maurice Lelong

Du néolithique à l'aube du XXIᵉ siècle, une épopée fromagère en cinq tableaux.

—— Premier tableau ——
Des palafittes aux abbayes

Vers 7000 av. J.-C. L'homme chasseur se fait éleveur. Il constate que le lait de ses bêtes se met à cailler : un nouvel aliment est né.

5000 av. J.-C. De cette époque datent des moules à cailler retrouvés sur les rives du lac de Neufchâtel : l'homme a appris à contrôler le phénomène de la coagulation.

Vers 3500 av. J.-C. Des bas-reliefs sumériens représen-tent la traite des vaches, le caillage du lait et la panoplie des ustensiles de laiterie.

Vers 1100 av. J.-C. Le deuxième *Livre de Samuel*, dans la Bible, cite les « dix fromages mous », *harise he-halab* (tranches de lait).

850 av. J.-C. Dans l'*Odyssée*, le cyclope Polyphème se révèle un berger-laitier de première grandeur. Ulysse et ses compagnons découvrent dans sa

IVᵉ siècle
avant J.-C.

LE POISSON DE MER À LA MODE D'ARCHESTRATE

Poète, esthète et gourmet, Archestrate a laissé un long texte intitulé *Gastrologie* dont il ne reste que des fragments, où l'auteur fait part de ses découvertes culinaires, de ses goûts et des apprêts qu'il affectionne, surtout dans le domaine du poisson, souvent mélangé avec du fromage (fromage frais, sorte de Mozzarella à pâte filée ou genre de Feta salé).

« Procure-toi le scare d'Éphèse, mais en hiver mange le surmulet pris à Trichonte, bourgade de Milet, située dans un terrain aride, près des Cariens qui ont des membres ramassés, ou fais rôtir un grand scare de Chalcédoine qui est de l'autre côté de la mer, après l'avoir lavé ; mais tu en verras de très bons à Byzance et qui, pour la largeur, ont le dos égal à un bouclier. Mange-le tout entier lorsque tu l'auras ; une fois enduit de fromage et d'huile, place-le dans un four bien chaud, répands-y du sel broyé avec de l'huile et du cumin, versant de la main comme si tu puisais à une fontaine où préside quelque divinité. »

Ce texte extrait du *Dîner des Savants* de Athénée (qui recueillit les fragments du poème d'Archestrate), traduit par A.M. Desrousseaux, les Belles Lettres, peut nous donner l'idée d'une recette originale pour apprêter des rougets de roche.

« Faire fondre à l'huile un gros oignon haché ; lui ajouter 2 grosses cuillerées à soupe de fenouil finement émincé. Bien mélanger. Nettoyer 2 beaux rougets, les ciseler sur le dos, les saler et les poivrer. Huiler un petit plat allant au four. Le garnir avec le hachis, y ranger les rougets, répartir par-dessus 100 g de fromage frais de brebis bien égoutté et parsemer de graines de fenouil. Enfourner à 210° C et laisser cuire 20 min. Parsemer de persil haché. Servir dans le plat en arrosant encore d'un petit filet d'huile d'olive très fruitée. »

---

grotte « des claies chargées de fromages (...), des vases de métal tous regorgeant de lait, les terrines, les seaux qui servent à traire les chèvres et les brebis (...) ; il fait de son lait blanc cailler une moitié qu'il égoutte et dépose en ses paniers de jonc ».

1ᵉʳ siècle av. J.-C. Virgile, dans les *Géorgiques*, conte la légende d'Aristée, fils d'Apollon et de Cyrène, qui tenait du centaure Chiron l'art de faire cailler le lait et de fabriquer le fromage. À la fin du XVIIIᵉ siècle, le chimiste français A.- F. de Fourcroy, grand dyspeptique qui soignait ses maux d'estomac en mangeant force fromage, formula le souhait d'élever une statue de marbre à la mémoire d'Aristée...

23-79 apr. J.-C. Le fromage le plus estimé à Rome est « celui de la région de Nîmes, de la Lozère et des villages du Gévaudan » (Pline l'Ancien, *Histoire naturelle*). On discute encore de savoir s'il s'agit du Cantal ou du Roquefort.

1er siècle. Les Romains ont l'idée d'accélérer l'égouttage du caillé en le pressant avec des pierres. Par la suite, ils inventent le pressoir qui perfectionne la méthode. Outre la présure animale, ils utilisent aussi la fleur de chardon et le jus de la peau des figues vertes (Columelle, *De l'économie rurale*).

IIIe siècle. Selon un édit de Dioclétien, les fromages frais sont vendus sur le marché avec les légumes, tandis que les fromages secs le sont avec les salaisons. L'élevage laitier gagne les régions alpestres : par le Valais romain, l'industrie fromagère gagne la Suisse.

732. À Poitiers, Charles Martel stoppe les Sarrasins, mais tous les Maures ne repassent pas les Pyrénées. Etablis dans la région, ils se mettent à élever des chèvres : *chabli* en arabe, d'où les Chabis et autres Chabichous qui feront la renommée du Poitou.

774. Charlemagne, roi des Francs, a goûté avec grand plaisir du fromage de Brie lors d'une halte dans le prieuré de Rueil-en-Brie (chronique d'Eginhard).

80 après J.-C.

Le SAVILLUM ROMAIN, un gâteau de semoule au fromage frais et au miel que l'on cuisait dans un plat d'argile dans les braises chaudes : coupé en grosses tranches, c'était l'aliment de base de la « première collation » du premier siècle...

En voici une adaptation « moderne ».

Huiler légèrement un plat à gratin. Par ailleurs, mélanger dans une terrine 125 g de grains de blé concassés, 250 g de Ricotta (fromage frais bien égoutté, Brousse de vache ou de brebis, cottage-cheese ou lait caillé très égoutté), 100 g de miel et un œuf battu. Verser ce mélange dans le plat et faire cuire à couvert au four à 250° C. Sortir du four, arroser de deux cuillerées à soupe de miel liquide, parsemer de quelques pincées de graines de pavot. Remettre au four à découvert pendant quelques minutes. Laisser tiédir avant de découper en tranches.

Vers 800. Seconde expérience fromagère de l'empereur à la barbe fleurie de passage en Albigeois : l'évêque qui le reçoit lui offre en collation du pain et du fromage de la région. Celui-ci est tacheté de vert : Charlemagne se met à nettoyer les veinures de la pointe de son couteau, mais le prélat. lui fait alors remarquer qu'il se prive du meilleur... L'empereur subjugué par cette première dégustation de Roquefort décide de se faire expédier à Aix-la-Chapelle deux caisses de ce fromage par an.

855. Apparition dans la vallée de la Fecht (qui a pris en 668 le nom de « vallée de Munster », altération du latin *monasterium*) d'un fromage de fabrication monastique : le Gros Géromé, ancêtre de notre Munster qui connaîtra les faveurs des ducs de Lorraine pendant tout le Moyen Âge.

879. La petite ville italienne de Gorgonzola, halte importante de la transhumance des troupeaux qui descendent des Alpes en automne vers les plaines, devient le centre de fabrication d'un fromage gras et savoureux.

960. L'évêque de Cambrai conseille aux moines qui fabriquent dans l'Avesnois un fromage connu sous le nom de « Craquegnon » de prolonger l'affinage en cave : ce sera bientôt la naissance de la « Merveille de Maroilles », qui « est au lait caillé ce que la rose est à l'églantine » (M. Lelong).

Vers l'an 1000. Suivant les relais des grands monastères, la technique des fromages affinés, issus de fromages rustiques locaux, monte en Suisse, dans la Gaule, dans les pays du Rhin, en Flandre, en Grande-Bretagne. Seul un milieu artisanal hautement qualifié se montra capable de mettre au point et de transmettre des techniques délicates et compliquées. Et voilà pourquoi nous devons aux moines le Maroilles, le Recollet, le Port-du-Salut, le Saint-Nectaire, le Saint-Paulin, le Mont-des-Cats, le Béthune, le Munster et les Trappistes (d'après Léo Moulin, *l'Europe à table*).

Étiquette de fromage.

Second tableau
Fromages de rois et lettres de noblesse

1174. Dans la région de Maroilles, un acte enjoint aux « manants ayant vaches » de fabriquer des fromages avec tout le lait de la Saint-Jean (24 juin) pour les livrer au plus tard à la Saint-Rémi (Ier oct.) : 3 mois d'affinage, déjà, font de cette pâte molle à croûte lavée un mets royal qui séduira Philippe Auguste, Louis XI, Charles VI, François Ier et Henri IV, sans compter Fénelon et Turenne, fervents amateurs de ce « pavé du Nord ».

1180. Date d'apparition du mot « fromage » dans la langue française. Jusqu'au XIVe siècle, on dira encore formage, fourmage, formaige ou frommaige. À l'intention du globe-trotter amateur de fromage, fromage se dit :

formaggio en italien
cheese en anglais
Käse en allemand
kaas en hollandais
queso en espagnol
queijo en portugais
syr en russe
ser en polonais
sirene en bulgare
tiri en grec
brinza en roumain
sajt en hongrois

ost en scandinave
juusto en finlandais
ostur en islandais

1217. Le fromage de Brie s'échange entre gens de haute naissance, signe de sa succulence. Les registres de dépense de la cour de Champagne signalent que Blanche de Navarre, veuve de Thibaut III de Champagne, en fait parvenir 200 à Philippe Auguste, lequel en offre aux dames de sa Cour pour les étrennes.

1236. Guillaume de Lorris, dans son *Roman de la Rose*, cite sous le nom d'« Angelots » des fromages normands qui font figure d'ancêtres du Pont-l'Évêque. Angelon, Angelot ou Augelot (du « pays d'Auge »), ce doyen des fromages normands finira par garder le nom du marché le plus important de la région où on le fabriquait.

XIIIe siècle. Les préceptes de santé de l'Ecole de Salerne, très réputés durant tout le Moyen Âge, font honneur aux vertus du fromage : « Le fromage et le pain, pour qui se porte bien, sont un mets excellent qui n'incommode

1260
Les Caillebottes
du temps de Saint Louis

L'évocation d'un dîner « maigre » offert par le roi de France dans le réfectoire d'un couvent de moines à Sens : « Nous eûmes d'abord des cerises, puis du pain très blanc, des fèves nouvelles cuites dans du lait, du poisson et des écrevisses, des pâtés d'anguilles, du riz au lait d'amandes, de la caillebotte et une quantité de fruits. »

La Caillebotte est un simple lait plus ou moins, écrémé, caillé et égoutté. Mais la « vraie » à l'ancienne nécessite le recours à de la chardonnette, fleur d'artichaut sauvage qui sert à faire cailler le lait.

Faire macérer une bonne pincée de chardonnette dans un tout petit peu d'eau pendant 6 heures environ. Verser le jus obtenu, filtré, dans un litre de lait cru très frais. Laisser reposer jusqu'à coagulation. Avec un couteau à large lame, diviser la masse obtenue en cubes et placer le tout sur feu doux. Porter à ébullition. Lorsque les morceaux se séparent les uns des autres et nagent dans le petit-lait, retirer du feu et laisser refroidir. Eliminer le petit-lait. Verser les morceaux de caillé dans une jatte fraîche, arroser de lait froid, napper d'un peu de crème fraîche et sucrer à volonté.

guère, mais quand on est malade, on le mange sans pain. » C'est au cours du XIIIe siècle par ailleurs que les fermières se mettent à élaborer elles-mêmes des fromages de leur invention. Naissent aussi les « fruitières » qui, en pays de montagne, rasemblent la production de lait de tout un village, voire de plusieurs, pour fabriquer les fromages de « grande forme » (Comté, Beaufort, Emmental, Gruyère). La première fruitière dont l'existence est attestée est celle de Déservilliers, créée en 1267 dans le Doubs.

1349. Cession du Dauphiné à la couronne de France et venue dans le Jura de colons dauphinois qui inaugurent la fabrication du Bleu de Gex.

1393. Le *Ménagier de Paris*, composé à l'intention d'une jeune femme de la bonne société, indique notamment la meilleure manière de reconnaître un « bon et honneste fromage » : non « mie blanc comme Hélaine, non mie plorant comme Magdelaine, non argus (sans yeux), mais du tout aveugle et aussi pesant comme un bugle (bœuf), contre le pouce soit

1390
The Ferme of Cury, de Samuel Pegge

La recette de la *blandissorye*, adaptée dans *Pain, vin et venaison*, un livre de cuisine médiévale (C.B. Hieatt et S. Butler), est une soupe aux œufs, au lait et au fromage dont on connaît des formules analogues dans toute l'Europe à la fin du XIVe siècle.

« Prenez des jaunes d'œufs durs et mêlez-les au lait de vache. Ajoutez du cumin et du safran, puis soit de la farine de riz, soit du pain blanc broyé dans un mortier. Faites bouillir et puis ajoutez les blancs d'œufs coupés en menus morceaux. Prenez du fromage gras, coupez-le en morceaux et ajoutez-les au mélange. Dressez. »

Réalisation pratique : mélanger 6 jaunes d'œufs durs + 6,5 dl de lait + 240 g de chapelure + 1/4 de cuillerée à café de cumin moulu, autant de safran, 2 g de sel : faire cuire sur feu doux en remuant jusqu'à épaississement. Ajouter les 6 blancs d'œufs durs hachés et 180 g de fromage à pâte demi-molle ou molle (Cantal jeune ou Brie pas trop fait). Remuer encore un peu sur feu doux et servir aussitôt.

rebelle et qu'il ait tigneuse (épaisse) croutelle ». En avril de cette année, Charles VI signe une charte accordant aux habitants de Roquefort « le monopole de l'affinage du fromage tel qu'il est pratiqué de temps immémorial dans les grottes dudit village ». Ce privilège royal sera confirmé par Charles VII, François Ier, Henri II, Louis XIII, Louis XIV et Louis XV.

1445. Scène de chasse en Vercors : le dauphin Louis, futur Onzième du nom, est parti traquer l'ours. Soudain, le voici assailli par une bête redoutable, il implore la Vierge de le sauver. Deux bûcherons alertés viennent à la rescousse, puis le réconfortent en partageant avec lui leur casse-croûte : pain et fromage de Saint-Marcellin. Ce petit fromage de l'Isère entre ainsi dans l'histoire sur les livres de compte de l'intendance du roi.

1474. Un humaniste italien, auteur d'un ouvrage de gastronomie *(De honesta voluptate ac valetudine)*, cite au pinacle le « Salers », somptueux produit des monts du Cantal.

1497. Charles VIII rapporte le Parmesan des campagnes d'Italie, émerveillé de voir ces fromages « grands quasi la largeur des meules à moulin ».

XVe siècle. Cris de Paris : « Angelots de Brie, des grands et des petits ! M'achetez je vous prie, ils sont d'appétit ! », « Je crie fromages à la crème pour manger avec fraisettes, et d'autres fromages en carême qui se font en chardonnette ! » Le Brie jouit d'une faveur toute particulière dans la capitale : on l'apporte « en blanc » et il est affiné aux portes de Paris d'où l'apparition d'une nouvelle profession, celle d'affineur.

1557. Visite de Philippe II d'Espagne en Flandre, à Maroilles : séduit par la merveille locale, le monarque demande aux moines de lui réserver chaque année la production de lait d'une journée de septembre pour lui fabriquer son Maroilles personnel.

XVIe siècle. Le règne d'Élisabeth Ire consacre outre-Manche la suprématie du Cheshire, déjà connu depuis 300 ans. L'*Old Blue* deviendra avec le Stilton le favori des gastronomes anglais.

1600. « Sont en réputation les fourmages d'Auvergne, connus par tous les lieux de la France depuis l'une mer jusques à l'autre », écrit Olivier de Serres dans son *Théâtre d'agriculture*. Mention particulière pour le fromage de Sassenage, fait de laits de vache et de brebis mélangés, encore meilleur si l'on y ajoute aussi du lait de chèvre.

XVIIe siècle. Une tradition anglaise situe la naissance du Stilton à Quenby Hall dans le Leicestershire, au manoir d'une certaine lady Beaumont. La gardienne du domaine fabriquait des fromages et en approvisionnait un pub voisin, relais de diligences : la publicité de ce savoureux fromage fut vite faite.

1622. Naissance de la célèbre Guilde des porteurs de fromages à Alkmaar, vieille cité hollandaise, dont le règlement est toujours en vigueur : les 28 porteurs groupés en quatre corporations identifiées par une couleur différente pratiquent la pesée des grosses boules de « Hollande » et les portent aux lieux d'expédition.

1660. Hélie Le Cordier, poète normand, célèbre le Pont-l'Évêque « marqueté de rouge un peu, signe que sa substance est bonne ». Il n'est « point d'une odeur mauvaise ». Certes, « des autres il n'a point le fard », mais tout le monde l'aime car « jeune ou vieux il n'est que crème ».

1666. Un arrêt du parlement de Toulouse (31 août) déclare que seuls les fromages affinés dans les caves de Roquefort ont le droit de prétendre à ce nom.

1670. Édam pour Édam, et Gouda pour Gouda ! Colbert a pris l'initiative de concurrencer la Hollande en protégeant la fabrication des premiers « Hollandes » français en Flandre. Nous sommes aux lendemains du traité conclu contre la France entre les Anglais, les Suédois et les Hollandais...

1678. Après la paix de Nimègue, le Roi Soleil en visite en Thiérache se fait présenter un fromage piquant et aromatisé, le « Dauphin » (son nom rappelle l'exemption de dîme dont bénéficiaient les charretiers venant du Hainault, habituellement soumis à une taxe qui revenait de droit au fils du roi). Le monarque goûte ensuite le « Rollot » en Picardie : le sieur Debourges qui, selon la tradition, présenta le plateau de dégustation, fut pensionné royalement et les « bons fromages du pays de Rollot » restèrent très en vogue jusqu'au XVIIIe siècle.

———— Troisième tableau ————
Le fromage se fait un nom

1699. Première mention sous le nom de « Reblochon » de ce savoureux fromage savoyard. Un acte notarié précise le prix de location annuelle d'une ferme entre deux contractants : 333 florins, un demi-quintal de Gruyère, 12 livres de beurre et un quarteron de « Reblochons ».

1708. Article « Vimoutiers », dans le *Dictionnaire géographique et historique* de Thomas Corneille (le frère de l'auteur du Cid) : « On y tient tous les lundis un gros marché où l'on apporte les excellents fromages de Livarot et de Camembert. » (Attention : « fromage de Camembert » ne veut pas dire « Camembert ».)

1751. Début de la publication de *l'Encyclopédie* de Diderot. On y lit que le « Cantal de haute montagne est parfumé de gentiane et de trèfle ». Il est fabriqué « dans de vieux burons isolés sur le flanc des volcans éteints. Ce sont de petites bâtisses de pierre munies d'une cave creusée dans le roc qui permet de basses températures. Il en existe un million qui produisent 6 000 tonnes par an ». À la lettre R comme Roquefort, une affirmation péremptoire : « Le fromage de Roquefort

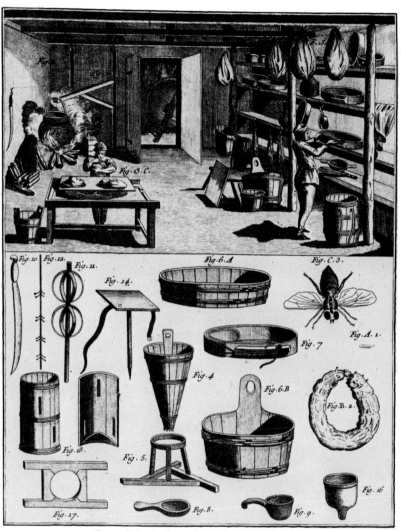

Cours d'Agriculture de l'Abbé Rozier, 1787.

est sans conteste le premier fromage de l'Europe. »

1767. Le *Gazetin du Comestible* indique les meilleurs fromages de l'année : ceux du Lyonnais ou de Roquefort, le Brie toujours très en vogue à Paris, les fromages « façon Gruyère » de Franche-Comté et les « recuites », sortes de Cancoillotes.

1774
Le gâteau à la Brie
de la Cuisinière bourgeoise de Menon

Cet entremets très répandu à l'époque se servait en « deuxième service », avec des plats de légumes et de volaille, après le « rôt » et les « entrées », avant les fruits et les compotes.

« Prenez du fromage de Brie qui soit bien gras ; pétrissez-le avec un litron et demi de farine, trois quarterons de beurre, très peu de sel ; vous mettez cinq ou six œufs pour délayer votre pâte ; quand elle est bien pétrie, vous la mouillerez pour la laisser reposer une heure ; ensuite vous formerez votre gâteau à l'ordinaire pour le faire cuire. »
1 litron = environ 80 cl
1 quarteron = le quart de la livre

1775. Les « fromages d'Époisses l'emportent sur ceux de Brie » affirme M. Courtépée dans sa *Description du duché de Bourgogne*. Brillat-Savarin et Napoléon seront de cet avis. Un commerce considérable existait jadis entre Époisses, Dijon, Autun, Avallon et Paris. Le lavage de la croûte des Époisses au marc ou au vin blanc était confié au siècle dernier aux jeunes pupilles de l'Assistance en pension chez les fermiers.

1789. Jean-Antoine Chaptal, chimiste, publie une étude scientifique sur les « fleurines » des caves de Roquefort, les « fentes de rocher par où s'introduit un courant d'air frais dirigé du sud vers le nord ».

1791. Marie Harel, fermière inventive installée dans l'Orne, a mis en pratique les conseils d'un prêtre réfractaire briard réfugié dans l'Ouest : ses fromages (sortes de petits Bries au lait de

Fabrication du Camembert.
Gravure de la fin du XIXᵉ siècle.

vaches normandes) sont si appréciés qu'elle établit un dépôt à Argentan, puis avant de mourir elle transmet sa recette à sa fille qui épousera en 1813 Thomas Paynel et poursuivra avec succès l'industrie de sa mère.

1801. Pour son entrée en fonctions, le président américain Thomas Jefferson reçoit en cadeau un fromage de 700 kilos offert par les supporters républicains de Cheshire, Massachussets (qui porte le nom du doyen des fromages anglais).

1802. De passage à Neufchâtel, Napoléon Bonaparte reçoit en hommage « un panier de frometons ».

1804-1812. Dans l'« itinéraire nutritif » de son *Almanach des Gourmands*, Grimod de La Reynière révèle les goûts fromagers des parisiens : Gruyère, Comté et Roquefort, Bleu de Sassenage, Maroilles, Parmesan, Livarot, Chester et Brie.

1814. Au soir de la victoire de Brienne sur Blücher et les coalisés, Napoléon bivouaque à Barberey, près de Troyes : on lui sert en collation un fromage cendré qu'il trouve délectable. Le jeune paysan du cru qui lui fit goûter ce

1806
Les ramequins au fromage de Viard

Célèbre cuisinier du premier Empire, dont le dispensaire (recueil de recettes) connut 32 éditions successives et resta la référence de base pendant tout le XIXe siècle.

Le terme de ramequin désignait jadis soit une sorte de toast gratiné (on disait « rôtie »), soit une variante de la gougère.
Les ramequins de Viard sont à base de pâte à choux. En voici une adaptation moderne, inspirée des *Grandes recettes du temps jadis* de C. Vence et R.-J. Courtine (Bordas, 1979).

Pour 4 personnes :

Préparer une pâte à choux avec 70 g de beurre, une pincée de sel, 25 cl d'eau, 125 g de farine et 4 œufs entiers. Lorsque la pâte à choux est prête, lui incorporer 100 g de Fribourg taillé en très petits dés, 100 g de Comté râpé et 100 g de Parmesan râpé. Poivrer.
Sur une tôle de pâtisserie beurrée et farinée, disposer des petits tas de pâte, bien espacés les uns des autres. Faire cuire à four chaud pendant 15 min environ. Quand les ramequins sont bien gonflés et dorés, servir chaud.
Vin suggéré : Chablis ou vin rouge de Savoie.

Barberey finit sa carrière sous le sobriquet de « capitaine Fromage ».

1815. Sommet diplomatique à Vienne : les plénipotentiaires réunis en congrès font alterner négociations politiques et banquets fastueux. Talleyrand fait alors consacrer « roi des fromages » le Brie de Meaux, qui entrait en compétition avec plus de 50 concurrents européens, dont le Chester, le « fromage de Livonie » et le Bleu de Bavière.

1816. Rentrés d'exil, les trappistes de l'abbaye de Port-Rhingeard, près de Laval, se lancent avec succès dans la fabrication d'un fromage à pâte pressée promis à un brillant avenir : le Port-du-Salut.

Quatrième tableau
Trouvailles ingénieuses et commerce avisé

1829. Le délicieux petit Chèvre que l'on fabrique dans le Sancerrois depuis le milieu du XVIe siècle porte désormais le nom fameux de « Crottin de Chavignol ».

1830. Un laitier belge établi en Allemagne s'associe avec un fromager local pour créer le *Limburger*, imitation du Romadour belge, qui deviendra l'un des fromages allemands les plus courants : pâte molle à croûte lavée de goût piquant, parfaite avec la bière.

1836. L'*Encyclopédie pratique* explique que certains fromages à pâte molle se mettent dans des boîtes en sapin ou en hêtre (l'Époisses et le Brie) : si les boîtes sont bien fermées, avec par-dessus une ou deux couches de peinture à l'huile, le fromage se conserve plus longtemps et en meilleur état.

1838. Justus von Liebig, chimiste allemand, est l'un des premiers à décrire scientifiquement le phénomène de la fermentation : lactique pour les pâtes fraîches, caséique pour les pâtes molles et propionique pour les pâtes fermes.

1840. Cadeau de mariage pour la reine Victoria, offert par les fermiers de la région de Cheddar : un fromage de 500 kilos, de 3 mètres de circonférence.

Vers 1840. Organisation des premiers concours de laiterie et de produits laitiers : médaille d'or pour le Camembert de Mme Thomas Paynel, née Harel.

1845-1850. Un paysan de la région de Laqueuille travaille la recette des Fourmes d'Auvergne : ensemencé avec des miettes de pain de seigle moisi, son caillé mûrit et bleuit à la perfection. Un nouveau fromage est né.

1850. Un employé de laiterie d'origine helvétique, au service de Madame Héroult, à Villiers-sur-Auchy, suggère d'ajouter de la crème fraîche aux petits Bondons frais que fabrique sa patronne et qu'il livre aux Halles : les Petits-Suisses sont nés et leur succès est immédiat.

1850-60. Mise au point du procédé de la « cheddarisation » (fabrication typique du Cheddar par pressage des grains de caillé) : c'est aujourd'hui le fromage le plus fabriqué dans le monde.

1857. Louis Pasteur entame les recherches qui aboutiront au procédé de la pasteurisation. Son disciple Émile Duclaux développera et adaptera au lait et au fromage cette inovation fondamentale, décisive pour l'industrie du fromage.

1863. Inauguration de la ligne Paris-Granville par Napoléon III. Halte à Surdon en pays d'Auge, réception des nota-bles en fanfare : Thomas Paynel offre à l'empereur de goûter un Camembert. Engouement quasi instantané du souverain, qui fit beaucoup pour la gloire nationale et internationale de ce pur produit du bocage normand.

1866. Première décision de justice en matière de fromage : un arrêt du parlement de Toulouse interdit, sous peine de 1 000 livres d'amende, à tout marchand ambulant ayant acheté du fromage dans les environs de Roquefort de les vendre comme étant du Roquefort.

1872. Fondation de la fromagerie normande Lepetit, à Saint-Maclou. Son Camembert supérieur récoltera 58 médailles d'or et d'argent et 3 diplômes d'honneur. En 1984, Lepetit lancera le slogan : « A 112 ans, Lepetit fait encore des petits ! »

1875. Les moines ont la bosse du commerce : le prieur de l'abbaye de Port-Rhingeard propose à un fromager parisien de tenir le dépôt de ses « Port-du-Salut ». Les trois arrivages hebdomadaires s'enlèvent comme des petits pains et les imitations commencent à fleurir.

1890. Date de naissance de l'Excelsior, première spécialité à pâte molle enrichie de crème (75 % de matière

— Tu vois ces fromages-là! les Russes nous en servaient comme ça tous les jours, à Sébastopol. Il y a même des camarades qui en sont morts, tant que c'est indigeste.

— Mais je ne les vois pas, le fromage anglais et le fromage américain?
— Monsieur, ils se sont dévorés tous les deux.

Les gardiens de l'exposition des fromages ne pouvant faire leur service qu'à la condition d'avoir une drogue sur le nez.

Ce polisson de gruyère faisant les yeux aux femmes.

Vignettes de Cham pour le *Journal illustré*.

grasse) mise au point en France : croûte blanche et fleurie, saveur douce et onctueuse. Inventé en Normandie à Rouvray-Catillon, c'est le chef de file d'une longue lignée de doubles- et triples-crèmes (Brillat-Savarin, Fin-de-siècle, Lucullus, Magnum, etc.).

Vers 1890. Un exportateur de fromages du Havre, Rousset, a l'idée de loger les Camemberts qu'il expédie par voie de mer dans des boîtes rondes en épicéa fabriquées dans le Jura : progrès décisif pour accroître les ventes à destination du Nouveau Monde. La même idée germe au même moment dans l'esprit d'un employé de scierie normand, Georges Leroy, qui fait fortune avec les écorces de peuplier. On cite aussi M. Ridel parmi les créateurs de la boîte de Camembert. Une imprimerie de Caen réalise les premières étiquettes.

1880
Le Parmesan d'aubergines
de Henri de Toulouse-Lautrec,
par Maurice Joyant

« Faites un ragoût comme suit : coupez du bœuf en morceaux, faites-le revenir dans du beurre ; quand le tout sera bien doré, ajoutez un peu de vin rouge de Chianti ou de Barolo et quelques cuillerées de purée de tomate. Pendant la cuisson, mouillez légèrement de temps en temps d'eau tiède. Coupez des aubergines en tranches dans le sens de la longueur, faites-les dégorger avec du sel, rincez-les ensuite à l'eau froide et pressez-les dans un torchon blanc. Quand les aubergines seront séchées et égouttées, faites-les revenir dans de l'huile. Garnissez un moule avec de la sauce tomate et de la chapelure. Disposez autour du moule et en couches des tranches d'aubergines, puis une couche de fromage râpé, des tranches d'œufs durs, des morceaux du fromage italien Provola (Provolone), des boulettes de viande faites avec les morceaux de bœuf du ragoût, un peu de mie de pain hachée et un peu de sauce de ragoût. Répétez les couches jusqu'à remplissement du moule et terminez par des aubergines et de la sauce du ragoût. Faites prendre au four à feu doux. »

Cette excellente recette peut s'interpréter à la française avec du Comté vieux (à la place du Parmesan) et du Saint-Nectaire en fines lamelles (à la place du Provolone).

1895. Louis Rigal, de Roquefort, fait les premières démarches en Corse pour y négocier l'achat de la production de lait de brebis : du jour au lendemain, bouleversement total des traditions fromagères de l'île de Beauté.

1896. Un fromager de Thurgovie ramène en Suisse le Tilsit, fromage d'origine prussienne qui avait été créé par des émigrés hollandais établis à Tilsit vers 1840. Dans cette ville allemande devenue aujourd'hui Sovietsk, on fabrique encore un Sovietski au lait pasteurisé...

1900. L'abbé d'Époisses a composé un poème en l'honneur du fromage local, qui compta Louis Veuillot parmi ses partisans :

« Achète qui voudra le Camembert trop doux,
Le Roquefort massif à l'arôme sauvage,
Le Brie ou le Gruyère interlopes, le sage

Choisira son fromage, Ô Bourguignons, chez nous.

Gourmet, qui que tu sois, si d'abord tu te froisses

D'entendre formuler ce principe certain,

C'est que tu connais mal, ou j'y perds mon latin,

Ce mets de connaisseurs : le fromage d'Époisses. »

Les adeptes de l'Époisses Bertheaux comprendront cet accès de chauvinisme.

1900-1910. Premières fromageries industrielles créées en France dans le Meuse et dans l'Est.

1909. Henri Androuët achète une crémerie à Paris, 41, rue d'Amsterdam (VIIIe), qui deviendra bientôt l'un des « temples » des incondition-

Réclame de 1914.

nels du fromage. Au magasin s'adjoindra d'abord une cave de dégustation, puis un restaurant. Pierre Androuët poursuit la défense et l'illustration du fromage sous toutes ses formes. Son guide encyclopédique du fromage répertorie plus de 400 variétés.

1910-1912. Premières fabrications de ferments de culture. Le Camembert devient définitivement « blanc », et non plus bleuâtre comme il l'était auparavant : cette « fleur » est due à des moisissures originaires du pays de Bray.

1921. La Vache qui rit vient de naître. Son père, Léon Bel, après avoir créé la devise Bel et Bon, inventera ensuite le célèbre Bonbel. C'est en 1924 que le dessinateur Benjamin Rabier donnera à la vache rouge sa silhouette définitive : un look encore très actuel. En 1985, la Vache qui rit se promotionne en revendiquant avec humour l'origine de l'expression « vachement bon » !

1925. Une loi votée le 26 juillet protège désormais le fromage de Roquefort.

1935. Débuts de la fabrication des fromages au lait pasteurisé et, par voie de conséquence, débuts d'une controverse qui n'est pas prête de s'éteindre entre les tenants d'un progrès économique, technique et hygiénique et les défenseurs irréductibles des fromages « à l'ancienne » qui s'élèvent contre l'uniformisation des productions fromagères.

Le 28 mai 1935, un traité de commerce entre la France et les Pays-Bas précise par ailleurs la réglementation des « fromages de Hollande », appellation réservée à des produits purement hollandais. Les fabrications hexagonales doivent s'appeler « Édam français » ou « Mimolette française ».

1938. Le 7 janvier, jugement du tribunal de la Seine : le Port-du-Salut devient le Port-Salut, marque déposée, « c'est écrit dessus ». Elle sera vendue après la Seconde Guerre mondiale à une société commerciale qui l'exploitera avec succès.

——— Cinquième tableau ———
Riche passé et bel avenir

Vers 1950. Naissance du Bleu de Bresse, par conversion des gros « Saingorlons » de 6 kilos en petites pièces de 125, 250 ou 500 g.

1950. La Hollande devient le premier exportateur de fromages du monde. À noter que certaines championnes frisonnes de la race « pie noire » produisent plus de 100 000 litres de lait au cours de leur vie.

1951. On a mis au point aux États-Unis un fromage sans croûte, dont l'affinage s'effectue sous film plastique ou feuille métallique. Frémissez, ô vieux burroniers de l'Aubrac !

1952. Jugement du tribunal de Dijon (22 juillet) : le statut du « Gruyère de Comté » est fixé, appellation légale à condition de l'exprimer entièrement. En effet le « Gruyère » est un fromage suisse, tandis que le Comté est jurassien. Néanmoins, dans le langage courant, Beaufort, Gruyère, Emmental et Comté sont « des Gruyères ».

1953. Signature, le 1er juin, de la convention de Stresa par la France, l'Autriche, l'Italie, la Suisse, les pays nordiques et les Pays-Bas. Il s'agit de mettre certaines productions fromagères nationales à l'abri des imitations, en particulier le Roquefort, le Pecorino, le Gorgonzola et le Parmesan. Les noms de Camembert, Brie, Saint-Paulin, Fontina, Provolone, Emmental, Gruyère, Danbo, Danablu, Gouda,

Édam, entres autres peuvent s'utiliser pour des imitations à condition d'annoncer sans ambiguïté le pays producteur.

Le 26 octobre de cette même année, le mot « fromage » reçoit en France une définition légale : « produit fermenté ou non obtenu par coagulation du lait, de la crème, du lait écrémé ou de leur mélange, suivi d'égouttage ». Le minimum de matière sèche est fixé à 23 g pour 100 g de fromage sauf pour certains fromages frais à plus de 85 % d'eau.

1954. Création le 18 mars de la Confrérie du Taste-Fromage de France, conçue pour mettre en valeur tous les fromages de l'hexagone, en accord avec les vins des terroirs. Sa devise « Honni soit qui sans fromage prétend à bonne table rendre hommage ». Grand chapitre annuel lors du Concours agricole chaque année à Paris.

1956. Naissance du chef de file d'une nouvelle génération de fromages de fabrication industrielle : le Caprice des Dieux (Bongrain), pâte molle double-crème à croûte fleurie, doux et crémeux, modèle d'une longue lignée qui fleurira surtout dans les années 70 et 80.

1964. Record battu dans le gigantisme pour l'Exposition universelle de New York : un fromage de 17 tonnes fabriqué par les laitiers du Wisconsin.

1968. Fondation à Dijon de la Guilde des Fromagers-Confrérie de Saint-Uguzon, qui réunit amateurs et professionnels dans un même combat : pour la plus grande gloire du fromage, toutes frontières confondues. Elle se place sous le patronage de saint Uguzon, berger lombard qui vivait dévotement au début de l'ère chrétienne en pratiquant la charité : son patron, persuadé qu'il puisait dans ses caisses, le tua sans discuter. Honoré comme martyr, Uguzon devint le saint patron des bergers et des fromagers. Devise de la guilde : « Fromages maintiendront. » Chaque année, les procureurs-syndics se rassemblent et rendent compte de leurs activités, axées sur la défense des fromages et des maîtres-fromagers (2 400 membres en France et à l'étranger).

Le 1er octobre 1968 à 19 h 55 : première publicité commerciale télévisée pour un fromage, le Boursin. Depuis, on ne compte plus les spots et les textes publicitaires qui vantent la blondeur des Chaumes ou les sillons du Marbray, la fraîcheur du Saint-Moret, du Chicotin ou du Cevrinol, la touche rustique du Vieux Pané, le Saint-Albray bon comme le dimanche, le Richedoux, riche et doux c'est tout, le Grand Veneur à l'emblème du cor de chasse, le Saint-Morgon fromage « aimable à la robe veloutée et tuilée, au goût charpenté et distingué », le Plaisir de Savoie « doux comme les pâturages alpestres », le Capitoul présenté par un sympathique berger à béret basque ou le Brevi « affiné naturellement en cave en prenant tout son temps »... Sans doute a-t-on oublié Spoutnik, « le fromage de l'avenir » (1957), mais comme le prétend Bridel, « les bonnes choses ont un nom ».

1969. Trois chercheurs de l'Institut national de la recherche agronomique (Maubois, Mocquot et Vassal) mettent au point le procédé MMV, application de l'ultrafiltration à la fromagerie. Son principe : faire passer le lait à travers une membrane qui retient la quantité voulue d'eau, de lactose et de sels minéraux. Avantages de cette normalisation : augmentation du rendement et de la valeur nutritionnelle du fromage.

De 1975 à 1985. 27 fromages français reçoivent l'Appellation d'origine contrôlée (A.O.C.), dont le privilège implique que le fromage protégé doit être fabriqué avec du lait provenant d'une zone délimitée et qu'il présente des caractéristiques particulières et constantes. Il s'agit de 5 pâtes molles à croûte fleurie (Brie de Meaux, de Melun, Camembert, Chaource, et Neufchâtel), 5 pâtes molles à croûte lavée (Livarot, Pont-l'Évêque, Maroilles, Munster et Vacherin) 6 pâtes pressées non cuites (Cantal, Laguiole, Salers, Saint-Nectaire, Reblochon et Ossau-Iraty), 2 pâtes pressées cuites (Beaufort et Comté), 5 pâtes persillées (Roquefort, Bleus d'Auvergne, des Causses, de Gex et Fourme d'Ambert) et 4 Chèvres (Picodon, Crottin de Chavignol, Pouligny-Saint-Pierre et Selles-sur-Cher). Certains s'interrogent sur l'absence à ce tableau d'autres fleurons, tel l'Époisses ou le Sainte-Maure...

1980. Nouveauté américaine dans le domaine du fromage : le fromage synthétique à base de farine, de calcium et d'huile végétale, additionné de caséirates du lait. Vendu 30 % moins cher que le « vrai » et destiné à l'industrie alimentaire (pizza, croque-monsieur, plats surgelés au fromage).

Depuis 1980. Nouvelle vague de créations fromagères industrielles avec le Pavé d'Affinois, le Raclon, la Tourée de l'Aubier, le Péché mignon (oscar du nouveau produit en 1984 et médaille

1980
L'escalope d'agneau sur toast
à la Fourme d'Ambert

Une savoureuse recette créée par Yves Bourrier, du restaurant Bourrier, 1, place Parmentier à Neuilly-sur-Seine. Aussi facile à réaliser que délicieuse à déguster. Vite préparée et idéale tant pour un tête à tête que pour 6 personnes ou plus...

Prendre autant de tranches de gigot d'agneau que d'invités. Les faire poêler au beurre doucement, sur les deux faces. Pendant ce temps, préparer autant de tranches de pain complet que d'escalopes (si possible de même taille). Les beurrer légèrement et les faire dorer à la poêle. Les tartiner largement de Fourme d'Ambert légèrement émiettée. Poser les escalopes juste cuites sur les toasts ainsi préparés. Passer quelques secondes au four. (Servir brûlant avec une compote d'oignons assez épaisse, très chaude.)

Vin recommandé : un Saint-Joseph de chez Delas.

d'or du Concours agricole en 1985), le Gourmelin et le Chevroux, entre autres. Autre phénomène notable des années 80 : l'émergence des fromages allégés, à teneur réduite en lipides.

Leur teneur en lipides est d'environ 9 à 11 g pour 100 g contre le double ou le triple pour les « vrais » fromages.

1985. La Halle au beurre de Vimoutiers (Orne), où furent vendus les premiers camemberts, célèbre son centenaire : une fromagerie à l'ancienne est reconstituée et une exposition de « tyrosèmes » (étiquettes de boîtes) présente un éventail hallucinant à faire rêver tous les tyrosémiophiles.

HISTOIRES DE FROMAGES

« Le fromage de Brie, aimé par le riche et le pauvre, a prêché l'égalité avant qu'on ne la soupçonne possible ! »

Lavallée, 1793.

Kasher

« Tu ne feras pas cuire le chevreau dans le lait de sa mère », est-il écrit au verset 19 du chapitre XIII du livre de l'*Exode*. Cet interdit alimentaire d'origine religieuse excluait donc d'emblée tout mélange entre un produit qui symbolisait un vie — le lait — et un autre produit que l'on obtenait en tuant un animal : la présure.

Les fromages étaient-ils donc, pour les juifs pratiquants, tenus pour « impurs » et inconsommables ? Ils furent les premiers à recourir à des caille-lait d'origine végétale, comme le suc des feuilles du figuier ou le jus du gaillet, pour éviter cette abomination qui consistait à faire cailler le lait de la vache avec la présure issue de l'estomac d'un veau.

Parmi les fromages kasher actuels, on trouve notamment une variété de Gouda, diverses pâtes molles et une sorte de Limburger frais, diversement aromatisé.

Monuments commémoratifs

Le plus célèbre des monuments à la mémoire du fromage par personnage interposé est la statue de Marie Harel à Vimoutiers, dans l'Orne. L'initiative en revint à un Américain, le docteur Knirim, établi dans le New Jersey vers 1925. Il soignait ses malades atteints de maux d'estomac avec du Camembert et de la bière Pil-

Inauguration à Vimoutiers du monument de Marie Harel.
Le sénateur Dentu prononce un discours ; derrière lui, Millerand.

sen : venu en Europe en 1926, il désira poser une couronne sur la tombe de la créatrice de ce fromage bienfaiteur. A Vimoutiers, on ne connaissait même plus l'emplacement exact de sa sépulture... Enfin, après moult recherches, Knirim put déposer sa gerbe sur une modeste dalle, puis il lança une souscription destinée à élever une statue à Marie Harel. Le 11 avril 1928, une Normande de granit portant la coiffe et tenant sur la hanche la « cane » de lait fut inaugurée à l'occasion de la foire de Pâques par Alexandre Millerand, ancien président de la République et sénateur de l'Orne. L'*Illustration* écrivit à cette occasion : « Si tous ceux qui ont dégusté avec gourmandise l'onctueux et savoureux fromage avaient offert leur obole, le monument inauguré dimanche dernier eut été d'or massif. »

Mais en 1944, le monument fut proprement décapité : 16 ans plus tard, une seconde souscription fut lancée parmi le personnel de la Borden's Cheese Society, à Vanvert (Ohio), la plus grosse fromagerie d'outre-Atlantique, qui permit la réalisation d'une seconde statue. Érigée en

1956, elle rend définitivement hommage à Marie Harel, « qui inventa le Camembert » et aux fermières normandes qui poursuivent la tradition.

Dans le Puy-de-Dôme, à Laqueuille, c'est un médecin parisien, lui aussi pour rendre hommage aux vertus thérapeutiques du fromage fermenté, qui eut l'idée d'élever un monument commémoratif à la gloire d'un modeste paysan : Antoine Roussel. Cet Auvergnat avisé avait eu le mérite, dans les années 1850, de mettre au point la formule d'une Fourme locale en l'ensemençant avec des miettes de pain de seigle moisi. Le Bleu de Laqueuille se révéla bientôt supérieur à toutes les autres fourmes du voisinage.

Le buste de son créateur, œuvre d'un sculpteur canadien, orne le bourg de Laqueuille.

En Hollande, ce n'est pas un homme ni une femme qu'honorent les laitiers et les fromagers reconnaissants, c'est un animal : la célèbre pie noire de Frise, la reine des laitières hollandaises. Plat pays de grand vent et de terres basses, la Frise est peuplée de frisonnes placides hautement productrices. C'est à Leeuwarden, principal centre frison de l'industrie laitière, que le Syndicat des éleveurs a fait ériger la statue d'une énorme et paisible vache qui porte la respectueuse appellation de « Us Mem » (notre mère).

Nez

Organe indispensable à l'amateur de fromages, le nez invite aux découvertes les plus exaltantes. Un fromage est « une montée d'arpèges » (J. de Coquet) qui se hume, se flaire, se respire, se devine, se reconnaît avec délectation. « Une odeur de Chèvre que vous devinez exalte la lèvre, chatouille le nez... » chantonne Charles Forot, le savoureux auteur de *Odeurs de forêt et fumets de table*. L'exclamation de Jean-Paul Fargue se préparant à déguster un Camembert bien fait — « Les pieds du Bon Dieu ! » —

rejoint dans un même geste de pieux recueillement la litanie que composa le poète belge Thomas Braun dans son *Livre des bénédictions :* « ... Que l'odeur des brebis ou du suint s'y renferme... Qu'ils fleurent les parfums des herbes de la Bresse, du plat pays, des Vosges ou de la Brie... Bénissez, dieu des prés, les fromages, le Kantercaas et les rondelles de Mayence où se mêlent les grains d'anis et les semences... » Et puis d'ailleurs, comme le proclame un héros de Michel de Saint-Pierre, si un fromage ne coule pas, s'il ne fond pas, s'il ne pue pas, c'est qu'il n'a pas d'âme !

L'odeur que dégage un fromage fait partie de sa personnalité et facilite son identification, au même titre que son aspect, sa forme et sa couleur. On a beaucoup plaisanté sur le Livarot, le Munster, le Maroilles et autres Boulettes d'Avesnes aux mâles senteurs, dont les puissantes émanations seraient, paraît-il, un obstacle à leur diffusion. Ces fromages, pour être « bons », doivent effectivement laisser dégager une odeur forte, mais jamais putride, ammoniaquée ou saponifiée. En outre, un fromage qui « pue » ne possède pas nécessairement une saveur du même registre.

Chez l'homme, l'éducation olfactive est relativement peu développée : savoir apprécier toutes les fragrances qui vont du léger parfum lactique au bouquet prenant, en passant par les odeurs de moisissures ou de fermentation, de foin, de crème fraîche ou de résine demande une certaine habitude. Savez-vous qu'un bon Camembert au lait cru fait à cœur dégage une légère odeur de pomme acide quand on le retourne une fois déballé ? Et le parfum de gentiane du Cantal ?

Il faut être un amateur doué d'un certain sens de l'humour pour se délecter du « final » de ce morceau de bravoure qu'est la description d'un étalage de fromages par Émile Zola dans *le Ventre de Paris* : « ... les Mont-d'Or, jaune clair puant une odeur douceâtre, les Troyes très épais, meurtris sur les bords, d'âpreté déjà plus forte, ajoutant une fétidité de cave humide, les Camemberts, d'un fumet de gibier trop faisandé..., les Pont-l'Évêque carrés, mettant chacun leur note aiguë et particulière dans cette phrase rude jusqu'à la nausée, les Livarots teintés de rouge, terribles à la gorge comme une vapeur de soufre, puis enfin les Olivets enveloppés de feuilles de noyer ainsi que ces charognes que les paysans couvrent de branchages au bord d'un champ, fumantes au soleil... Et derrière les balances, dans sa boîte mince, un Géromé anisé répandait une infection telle que des mouches étaient tombées autour de la boîte, sur le marbre rouge veiné de gris... »

Restons calmes ! Mais si vous préférez les rudes accents de l'Époisses ou du Langres aux fadeurs douces du yaourt, n'imposez pas systématiquement vos goûts à des convives éventuellement plus timorés. Pas de terrorisme gastronomique !

Dans une dégustation de fromages, les variétés de haut goût, Munster, Maroilles, Niolo corse, seront destinées à jouer le rôle que l'on réserve aux gibiers et aux venaisons dans un repas classique : en point d'orgue ! Le choix de la bouteille de vin risque d'être délicat. C'est parfois la bière ou l'alcool qui conviendra le mieux.

Mais seuls les gourmands de fromage fort de Lorraine ou du Lyonnais, malaxé avec des herbes et du poivre, apprécieront ce passage où Jean Giono, dans un roman, met en scène un paysan qui « déjeunait de quelque chose de fort, des oignons sauvages et de l'anchois, ou de ce fromage en pot qu'à le découvrir on se disait : Tiens, on a marché dans le sale ! »

Râpé

L'emploi du fromage en petits fragments dans la cuisine remonte à la plus haute antiquité. Émietté, découpé en petits cubes ou en fines lamelles, pulvérisé quand il est bien sec ou versé à la cuiller s'il est bien frais et crémeux, le fromage est un condiment idéal, qui confère du goût et du moelleux. Dans toutes les régions, il figure parmi les recettes délicieuses de soupes, de gratins, de tartes ou de sauces. Gratté au couteau ou écrasé au pilon, il se marie aux légumes frais cueillis du jardin, dans des mets façon « cuisine de grand-mère » dont on se transmet avec gourmandise les savoureuses associations :
• rondelles de courgettes et Chèvre mi-sec ;
• aubergines en gratin avec Comté et Parmesan mêlés ;
• tomates et Beaufort, avec lamelles de Cantal ;
• laitues braisées, moutarde et Tomme de montagne ;

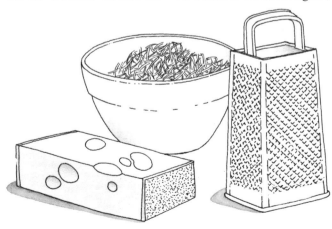

• navets et carottes gratinées au Morbier ;
• poireaux et Chèvre frais ;
• fenouils cuits et Trappiste de Briquebec ;
• asperges, œufs durs et Parmesan.

Le succès des sachets de râpé vendus par dizaines dans les grandes surfaces ou chez les détaillants laisse parfois insatisfait le gourmet averti, alors qu'il est si facile de préparer soi-même, sur mesure. Au royaume du râpé, l'imagination est reine.

• Le Gruyère convient parfaitement pour les préparations classiques (soufflé, gratin, omelette, etc.), mais son usage systématique finit par lasser. Une plaisante solution consiste à mélanger plusieurs pâtes cuites ensemble : Beaufort et Emmental, Comté et Gruyère.

• Le Parmesan, comme le Gruyère, est le râpé par excellence : utilisés conjointement, ils donnent aux gratins, aux soupes et aux pâtes un goût bien plus original.

• Pour les omelettes, encore une idée : associer de l'Emmental râpé avec des miettes de Broccio corse ou de Chèvre frais, avec en outre des herbes aromatiques (basilic, menthe, ciboulette, etc.).

Un exemple

... S'il vous reste une bonne proportion de poissons de bouillabaisse : achetez une vingtaine de grosses crevettes décortiquées et une boîte de crabe.

Récupérer tous les morceaux de poisson soigneusement désarêtés, la chair de crabe égouttée et ajouter les crevettes, ainsi que 200 g de champignons finement émincés et un petit bouquet de persil haché. Incorporer 2 tranches de pain de campagne séchées au four et concassées, 3 cuillerées à soupe de crème fraîche, du sel, du poivre et 2 jaunes d'œufs, puis 3 blancs en neige ferme. Verser la moitié dans un moule à soufflé, parsemer d'une copieuse couche de Parmesan et de Comté râpés mélangés, recouvrir avec le reste de la préparation, puis avec une nouvelle couche de râpé. Mettre au four à chaleur modérée et laisser cuire 30 minutes. Servir brûlant avec une sauce tomate au basilic.

——Tomme, Tomme, Tomme... ——

Mot-piège du vocabulaire fromager. Rarement le flou de la définition n'a été aussi vague. Il existe des Tommes (ou Tomes) en Savoie et en Auvergne, en Provence et dans le Lyonnais. Au lait de vache, de chèvre et même de brebis (en Camargue ou en Corrèze). Ce peut être un petit disque plat ou une meule de 4 kilos, une briquette ou un carré. Sa pâte est souvent de type pressé non cuit, mais on trouve des Tommes persillées ainsi que des pâtes molles. Et si l'on cherche quelque lumière du côté de l'étymologie, on apprend que Tomme vient du latin populaire *toma*...

Tentons d'y voir un peu plus clair dans cette savoureuse anarchie.

• Les Tommes de Savoie sont à pâte pressée non cuite, affinée au moins un mois en cave humide et froide ; elles possèdent une saveur plutôt douce et une texture souple sous une croûte grise et rugueuse. Au lait de vache, ce sont : les Tommes des Bauges (l'une des meilleures), de Belleville, de Courchevel, du Revard ou du Grand-Bornand. La Tomme de Sixt se conserve très longtemps et se déguste très dure. De fabrication ménagère, ces fromages portent parfois le nom de « boudanes ». Une exception au lait de chèvre : la Tomme des Allues, elle aussi plutôt douce. Mention spéciale pour la Tomme au marc, vieillie dans une cuve de marc, qui dégage une forte odeur de fermentation avec un goût piquant. Les Tommes de Savoie ne présentent pas plus de 40 % de M.G. et sont parfois faites à base de lait plus ou moins écrémé (tommes « maigres » à 20 % ou 30 %).

• Au chapitre des Tommes de chèvre, le Dauphiné propose la Tomme de Combovin (croûte naturelle bleue, en forme de petit disque, bonne saveur noisetée), celle de Corps, très voisine mais bien plus rare, de même que la Tomme de Crest et celle du Vercors, en voie de disparition.

• La Tomme de Romans, elle aussi du Dauphiné, mais au lait de vache (pâte molle, croûte naturelle gris bleuté), est passée au stade semi-industriel ; elle était jadis de chèvre. La Tomme du Vivarais, de chèvre ou de vache (plus maigre), intervient dans de savoureuses recettes : salades aux pommes de terre ou en macération avec de l'huile et des aromates.

• Le Chevret (Tomme de Belley) est une fabrication artisanale de l'Ain : pâte molle à croûte naturelle en forme de brique, au bouquet bien développé. L'Annot du pays niçois est aussi une tomme de chèvre de la même famille, à déguster en été ou en automne.

• Parmi les Tommes de brebis, celle de Camargue (ou d'Arles) est une pâte fraîche aromatisée au thym, présentée sur une feuille de laurier : douce, crémeuse et rafraîchissante. La Tomme de Brach du Limousin est parfois persillée : goût puissant, qui demande un vin charpenté. Quant à la Tomme de Valberg, rare mais digne d'intérêt malgré son odeur ovine peu discrète, elle possède une saveur prononcée presque piquante (pâte à râper comme condiment).

• Enfin on appelle aussi « Tomme fraîche » le Cantal ou le Laguiole de l'Aubrac non affiné, à pâte blanc ivoire, gras et moelleux, qui sert à préparer notamment le fameux aligot à la purée de pommes de terre qui se déguste brûlant.

Trou

Ouverture ou petite cavité à l'intérieur de la pâte d'un fromage cuit : les fromages « à trous » sont le Gruyère, le Comté, l'Emmental et le Beaufort essentiellement. Mais attention, il y a trou et trou ! Chez les Gruyères, les trous — on dit aussi les « yeux » — sont très peu nombreux, gros comme des petits pois, avec au fond une petite « larme ». Chez le Beaufort, les trous sont presque inexistants, mais la pâte présente en revanche des « lainures », petites fissures longitudinales pas trop prononcées. Le Comté offre des trous gros comme des noisettes, voire des cerises. Chez l'Emmental, les ouvertures sont sphériques, également réparties dans la pâte et pas trop rapprochées : c'est lui le plus « troué ».

Les trous sont dus à la fermentation carbonique pendant l'affinage. Le « mille-trous » est un défaut du Gruyère dont la pâte est parsemée de petits trous, signe d'une fermentation mal conduite. En revanche, un Gruyère très gras, peu « ouvert » (presque sans trous), est un régal de connaisseur.

Malgré ces différences, c'est bien le Gruyère, pourtant, qui reste aux yeux de la majorité le « fromage à trous » par excellence. Témoin cette définition du *Dictionnaire humoristique de la gastronomie* (Paris, 1941) : « Le Gruyère est l'Argus des fromages, trou là, là, itou ! » (Par allusion à Argus, le géant de la mythologie qui avait cent yeux, devenu synonyme de publication pour renseignements spécialisés.) Témoin aussi ce savoureux sophisme : plus il y a de Gruyère, plus il y a de trous, or plus il y a de trous, moins il y a de Gruyère, donc plus il y a de Gruyère, moins il y a de Gruyère !

Ne quittons pas le Gruyère et ses trous sans avoir évoqué Jean Jaurès par le biais de Léon Daudet, qui maniait la plume du journaliste et la fourchette du gastronome avec un égal bonheur. Il écrivit que le grand tribun socialiste possédait une éloquence « touffue, cadencée, fleurie, dense comme un Gruyère dont chaque trou serait une métaphore ! »

Si les Gruyères ne peuvent exister sans trous, il est un trou qui ne peut exister sans fromage : celui du Murol ! Dérivé du Saint-Nectaire et originaire du village auvergnat de Murols, le Murol est un cylindre plat qui présente en son centre un trou de 4 cm de diamètre. Son inventeur, monsieur Jules Bérioux, avait trouvé ainsi le moyen d'accélérer l'affinage de la pâte. Mais les Auvergnats sont gens avisés : rien ne se perd au pays de la soupe au chou. Les petits cylindres de pâte, retirés à l'emporte-pièce au centre des Murols, sont récupérés, passés à la paraffine rouge et commercialisés avec succès sous le nom de « Trous de Murol » ou « Murolaits ». C'est bien la seule manière connue de faire fortune en vendant des trous...

VINGT-SEPT ÉLUS
AU
TABLEAU D'HONNEUR

« Bénissez aujourd'hui,
Dieu des prés, les fromages
Dont votre peuple
vous fait hommage... »

Thomas Braun

La liste des 27 fromages français d'Appellation d'origine contrôlée

(date de parution du décret au *Journal officiel*)

1. Roquefort	30 juillet 1925 et 30 octobre 1979
2. Bleu d'Auvergne	21 mars 1975
3. Selles-sur-Cher	29 avril 1975
4. Livarot	3 janvier 1976
5. Fourme d'Ambert ou Fourme de Montbrison	6 février 1976
6. Crottin de Chavignol	24 février 1976
7. Beaufort	10 avril 1976
8. Reblochon	28 avril 1976
9. Maroilles	3 juin 1976
10. Pont-l'Évêque	3 juin 1976
11. Pouligny-Saint-Pierre	3 juin 1976
12. Laguiole	7 juillet 1976
13. Neufchâtel	21 janvier 1977

14. Chaource	6 février 1977
15. Bleu du Haut-Jura ou Bleu de Gex ou Bleu de Septmoncel	28 septembre 1977
16. Munster ou Munster-Géromé	11 juin 1978
17. Comté ou Gruyère de Comté	13 avril 1976 et 14 décembre 1979
18. Saint-Nectaire	8 juin 1979
19. Salers	4 janvier 1980
20. Cantal ou Fourme de Cantal	23 février 1980
21. Ossau-Iraty-Brebis-Pyrénées	19 mars 1980
22. Bleu des Causses	8 juin 1979 et 5 février 1980
23. Brie de Meaux	30 août 1980
24. Brie de Melun	30 août 1980
25. Mont-d'Or ou Vacherin du Haut-Doubs	28 mars 1981
26. Picodon de l'Ardèche ou de la Drôme	28 juillet 1983
27. Camembert de Normandie	2 septembre 1983

A.O.C. :
Trois lettres, une garantie

Le Comité national des Appellations d'origine des fromages a reconnu jusqu'à ce jour 27 fromages dignes de prétendre à cette distinction : 4 normands, 1 dans le Nord, 1 dans l'Est et 1 dans le Sud-Ouest, 3 pour l'Ile-de-France et la Champagne, 3 Chèvres pour le Centre, 3 dans le Jura et 2 en Savoie, et enfin 9 pour l'Auvergne et ses contreforts.

(Question test : retrouvez lesquels...)

L'appellation d'origine d'un produit (vin, fromage, jambon, etc.) n'est autre que le nom géographique de ce produit à partir du moment où il a acquis une notoriété et une originalité qui résultent à la fois de la tradition et de l'intervention de l'homme. Cette appellation est consacrée par un jugement et un texte administratif qui codifie des « usages locaux et constants », ceux-ci faisant intervenir la nature du sol, le climat, l'espèce animale, les modes de fabrication, etc.

L'A.O.C. donne au produit et aux producteurs qui en bénéficient (après qu'ils en aient formulé la demande) une reconnaissance juridique internationale qui permet d'éviter les contrefaçons. Mais remarquons néanmoins que l'appellation d'origine constitue parfois seulement une « présomption de qua-lité », qui en outre peut pénaliser d'autres origines qui ne bénéficient pas de cette distinction.

Qualité, originalité du produit et contrôle effectif, telles doivent être les préoccupations du C.N.A.O.F. (Comité national des appellations d'origine des fromages) et de l'A.N.A.O.F. (Association nationale des appellations d'origine des fromages qui regroupent les 27 syndicats ou comités interprofessionnels de défense et de promotion des fromages protégés).

Beaufort

Beaufortin, Tarentaise et Maurienne : tel est le terroir d'élection de ce grand fromage à pâte pressée cuite (45 % de M.G.).

De juin à septembre, entre 800 et 2 500 m d'altitude, au pied des glaciers, les troupeaux broutent la flore des alpages et des hautes prairies, riches en graminées aromatiques. La fabrication traditionnelle du Beaufort se poursuit depuis des siècles dans les petites fromageries des vallées ou même parfois encore dans les chalets de Savoie et de Haute-Savoie, où l'on utilise le lait de vache cru et entier après chaque traite. Emprésuré à chaud, le lait coagule, puis le caillé est tranché, brassé, chauffé, puis à nouveau brassé et enfin moulé, ceinturé dans un cercle en bois de hêtre légèrement renflé (qui donnera au Beaufort son talon concave caractéristique) et pressé pendant environ 20 heures, avant d'être salé et mis à affiner en cave humide, de 4 mois à un an.

La meule de 20 à 70 kilos se vend à nu. Apparenté aux autres fromages de « grande forme » de Savoie, de Suisse et du Jura, le Beaufort se distingue par une délicieuse saveur fruitée et une bonne odeur franche. La croûte lisse doit être propre, solide et sèche, d'un brun un peu roux. La pâte unie presque sans trous offre parfois quelques fissures dans l'épaisseur de la meule, ou quelques « becs » horizontaux. Sa consistance ferme et souple ne doit être ni dure, ni sèche.

Indispensable pour la fondue savoyarde, le Beaufort peut avoir en cuisine les mêmes emplois que le « Gruyère », mais il apporte une succulence particulière aux gratins de pommes de terre ou de choux-fleurs, aux salades composées ou aux croque-monsieur. Proposé sur un plateau avec un Reblochon, un Saint-Marcellin, une Tomme de chèvre et un Bleu, le Beaufort s'accompagne à merveille d'un vin de Savoie blanc et fruité.

Bleu d'Auvergne

Pâte persillée non pressée et non cuite au lait de vache, le Bleu d'Auvergne vient du Cantal et du Puy-de-Dôme ; son terroir s'étend un peu sur la Haute-Loire, l'Aveyron, la Corrèze, le Lot et la Lozère.

Après moulage, découpage et brassage du caillé, la pâte égouttée est retournée et salée, puis piquée de fines aiguilles pour permettre le développement du *Penicillium roqueforti* dans la masse, en l'espace de trois semaines. L'affinage s'effectue en cave humide et fraîche ; la croûte naturelle est grattée avant l'emballage sous papier d'aluminium.

Dans les caves de Roquefort.

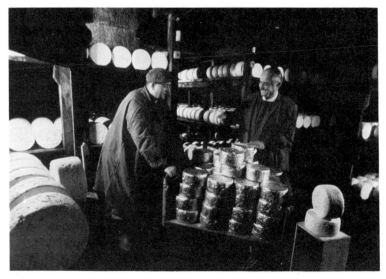

105

Meilleure saison : été et automne. Les Bleus de Laqueuille, de Rochefort et de Pontgibaud sont particulièrement réputés.

Moulé en cylindre plat (plusieurs tailles de 350 g à 3 kilos), ce fromage renferme 50 % de M.G. La pâte doit présenter des veinures vert foncé à bleu bien réparties dans toute la masse ; grasse et bien ferme, elle ne doit être ni dure ni granuleuse. L'odeur du fromage est assez forte et son goût puissant. Attention à la croûte : elle ne doit pas être visqueuse sous le papier.

On attribue au Bleu d'Auvergne des qualités digestives aussi remarquables que ses qualités gustatives, qui font de lui un fromage de dessert tout trouvé, par exemple avec des noix fraîches et une bouteille de Cahors. Il intervient avec succès en cuisine, notamment pour des soufflés, des salades ou dans des crêpes farcies.

Bleu des Causses

Fabriqué à peu près de la même façon que le Bleu d'Auvergne, ce fromage persillé provient d'un pays rocailleux marqué par le parfum des plantes sauvages : les Causses, avec comme zone de production les cinq départements de l'Aveyron, du Lot, de la Lozère, du Gard et de l'Hérault.

Les fromages salés, brossés et « piqués » sont mis à affiner dans des caves fraîches et humides, creusées naturellement dans des éboulis calcaires où les courants d'air frais font venir « la fleur » du fromage et lui confèrent sa saveur particulière, plus vigoureuse en hiver qu'en été, bien qu'il soit bon à peu près toute l'année.

Comment reconnaître un « bon » Bleu des Causses ? Pâte onctueuse sans taches ni auréoles, blanc ivoire, irrégulièrement parsemée de bleu. En hiver, la pâte est blanche et moins humide, mais toujours très consistante et assez grasse. L'odeur qu'il dégage est agréable et soutenue. C'est un cylindre de 2,3 à 3 kilos (45 % de M.G.).

Avec son goût franc, très sapide, le Bleu des Causses ne passe pas inaperçu sur un plateau : il faut l'équilibrer avec des voisins hauts en couleur (Livarot, Tomme de brebis, Saint-Nectaire) et un Pomerol ou un Cornas. Aussi bien à sa place pour un casse-croûte avec du jambon cru qu'en fin de dîner, le Bleu des Causses est plein de ressources en cuisine : pour préparer un beurre composé avec une viande grillée, pour lier le jus d'un rôti de bœuf ou la sauce d'un râble de lièvre.

Bleu de Gex

Né dans les hauts pâturages du Jura où les prés alternent avec les bois et les combes pour produire une flore riche et variée, le Bleu de Gex doit au lait des montbéliardes sa saveur originale. Emprésuré sitôt trait, le caillé est ensuite brassé à la main. Un salage progressif donne à la pâte et à la croûte une texture particulière : l'ensemencement se fait naturellement dans une cave humide et un peu fraîche où l'affinage dure au moins trois semaines.

Le Bleu de Gex (appelé également du Haut-Jura ou de Septmoncel) forme une meule plane à talon convexe de 7,5 kilos environ (50 % de M.G.). C'est de mai à octobre qu'il est le meilleur, lorsque les vaches broutent dans les prés.

La croûte doit être fine, sèche et jaunâtre, légèrement farineuse, car elle est brossée. Les marbrures bleu-vert assez pâle sont bien réparties dans une pâte blanche à ivoire, onctueuse, légèrement friable, mais jamais cassante, avec une odeur prononcée. Sa saveur noisetée caractéristique dénote parfois une pointe d'amertume ou de sapidité qui lui est propre, mais doit éviter le piquant.

Ce fromage s'intègre sans difficultés à des plateaux classiques, accompagnés par un Côtes-du-Rhône ou par un vin rosé du Jura. Il trouve un emploi original en cuisine avec la fondue gessine (Comté râpé et Bleu de Gex en lamelles, vin blanc, ail et kirsch).

Brie de Meaux

La provenance la plus réputée de ce somptueux disque blanc de 2,5 kilos (qui ne demande pas moins de 23 litres de lait par pièce) est l'arrondissement de Meaux, et la tradition conserve pieusement le nom de la ferme d'Estourville à Villeroy où le fermier Baulny expédia à Vienne les fromages vainqueurs du jury gastronomique de 1815. Mais le terroir de ce Brie couvre tout le département de Seine-et-Marne ainsi qu'une partie de l'Aube, du Loiret, de la Marne, de la Haute-Marne, de la Meuse et de l'Yonne.

Le lait cru de vache partiellement écrémé est emprésuré à chaud, moulé à la main avec une « pelle à Brie », salé au sel sec, puis soumis à un affinage lent et régulier d'au moins 4 semaines, avec plusieurs retournements à la main. D'un diamètre de 35 à 37 cm, il renferme 45 % de M.G. Une croûte fine, blanche, avec des stries rougeâtres, recouvre une pâte jaune paille de consistance souple, lisse et onctueuse, qui ne doit pas couler. Un bouquet de terroir assez développé et une fine saveur de noisette, au mieux de son épanouissement de juillet à mars, lui ont valu le surnom de « pâtisserie fromagère ». On l'utilise d'ailleurs dans diverses pâtisseries régionales, brioches ou galettes, et les « bouchées à la Reine » d'origine étaient dit-on confectionnées avec du Brie.

La « pointe » de Brie constitue l'ornement de choix d'un plateau de fromages qu'accompagnerait un Pomerol ou un Saint-Émilion.

Brie de Melun

Plus petit et plus épais que le Brie de Meaux, le Brie de Melun est comme lui présenté à nu, sur un paillon (45 % de M.G.). Fabriqué en petites laiteries artisanales dans le département de Seine-et-Marne (meilleure provenance, la plaine autour de Melun), ainsi que, éventuellement, dans certaines zones de l'Aube et de l'Yonne, ce fromage au lait cru de vache subit des manipulations pleines de précautions en raison de la fragilité de la pâte avant l'affinage.

Caillage, puis égouttage lent, salage au sel sec, puis moulage à la louche et affinage de 4 semaines au minimum : on obtient un disque de 27 cm recouvert d'un feutrage blanc strié ou tacheté de brun ou de rouge. La pâte jaune d'or, homogène, souple et élastique, ne doit pas être molle. Elle possède une odeur plus forte que celle du Brie de Meaux et un bouquet fruité. Un vin de pays léger et fruité l'accompagne à merveille. L'été et l'automne sont ses meilleures saisons.

La production du Brie de Meaux était d'un peu plus de 4 000 tonnes en 1982, alors que celle du Brie de Melun, pour la même année, était inférieure à 340 tonnes.

Camembert de Normandie

L'Orne, la Manche, le Calvados, l'Eure et la Seine-Maritime, et eux seuls, fabriquent le « Vrai Camembert de Normandie », mais le meilleur d'entre eux reste sans conteste originaire du pays d'Auge. Le lait de vache collecté est parfois partiellement écrémé, puis ensemencé, maturé et emprésuré ; le caillé est moulé à la louche par quatre ou cinq passages successifs. Au bout d'une vingtaine d'heures, démoulage, pulvérisation de spores, « ressuyage » (repos à 14 °C), salage, puis affinage pendant au moins 21 jours : le Camembert de Normandie peut alors être pris en charge par l'affineur qui amène le produit à son point de perfection.

Ce disque épais de 250 g est vendu dans sa traditionnelle boîte en bois (45 % de M.G.). De forme régulière, avec une fine croûte blanche duvetée, légèrement striée (à cause de l'empreinte des paillons sur lesquels il a mûri), il offre une pâte souple au toucher, sans mollesse et qui ne coule pas, jaune clair avec parfois une fine raie blanche au milieu.

Bon toute l'année, sauf peut-être au printemps, il s'accompagne à la perfection d'un Bourgogne ou d'un Bordeaux et prend place très facilement sur tous les plateaux. La production française annuelle (1983) de Camemberts avoisine 170 000 tonnes, avec environ 100 000 en Normandie, dont 10 000 au lait cru. Comme il faut 2 litres de lait pour fabriquer un camembert, le volume de lait transformé en Camemberts tourne autour de 14 millions d'hectolitres...

Salle de perfectionnement des Camemberts. Gravure de la fin du XIXe siècle.

— L'incontournable Camembert... —

Que n'a-t-on dit et écrit sur les mille et une manières de savoir choisir un Camembert pour éviter la déception. « Tâter la croûte, mesurer l'élasticité de la pâte, deviner un fromage est un peu affaire de radiesthésie », disait Colette. Comme pour les melons, effectivement, il y a des gens qui « savent » et d'autres qui, une fois sur deux, se trompent. Or on ne se demande jamais comment choisir un Roquefort, un Gruyère, un Crottin...

Examiner un Camembert à nu, le humer et le palper : telles sont les trois opérations qu'il faudrait pouvoir pratiquer. Seul le fromager peut y procéder et le mieux est finalement de lui faire confiance, surtout s'il connaît vos goûts. Si la croûte blanche offre une pigmentation rougeâtre pas trop marquée (parfois visible à travers le papier sulfurisé) c'est qu'il est en train de « se faire » et qu'il sera juste à point dans la journée ou le lendemain. Mais attention : si le brunissement est trop marqué à l'arête, son goût risque d'être un peu piquant. Si le centre du fromage a tendance à former une dépression : rejetez-le sans pitié, il va couler.

Un Camembert se palpe en partant des bords et en allant vers le centre, fermement mais sans insister. Le « cœur » lui aussi doit être souple, jamais mou. En le retournant une fois déballé, on observe dessous, au milieu, un plissement caractéristique : il fait « la peau de crapaud ». C'est « un bon », surtout s'il dégage en outre une légère odeur de pomme acide...

Cantal

De nombreuses petites laiteries disséminées dans le département du Cantal et dans 41 communes des départements voisins (Aveyron, Corrèze, Haute-Loire et Puy-de-Dôme) fabriquent cette « Fourme de Cantal » de très antique tradition à pâte pressée non cuite. Sur son terroir, entre 700 et 1 000 mètres d'altitude, les vaches de l'Aubrac et de Salers trouvent une flore riche et parfumée.

Le caillé empresuré est rompu et travaillé en cuve, puis mis sous presse avant d'être maturé et broyé. Suit alors le salage, puis le moulage avec un pressage de 48 heures. Après démoulage, les meules sont affinées en atmosphère fraîche et humide pendant au moins 45 jours,

Fabrication du Cantal. Carte postale.

avec divers soins qui favorisent le croûtage : on obtient ainsi le Cantal « jeune », c'est-à-dire la Tomme fraîche qui intervient dans plusieurs recettes de cuisine auvergnate. Mais l'affinage du Cantal peut se poursuivre jusqu'à 4 ou 6 mois, ce qui donne le Cantal vieux, et certains amateurs le choisissent avec une croûte épaisse et bosselée qui s'enfonce en veinures ambrées dans une pâte ivoire foncé grasse et onctueuse.

La Fourme de Cantal pèse environ 45 kilos (45 % de M.G.), mais on trouve aussi un « petit » Cantal (20 kilos) et un « Cantalet » de 10 kilos. Fromage « de garde » apprécié toute l'année (mais surtout l'hiver), le Cantal offre une pâte souple et ferme, homogène et légèrement granuleuse, dont la saveur subtilement noisetée et « bien en bouche » ne doit pas piquer. La croûte est gris clair, mais sur une vieille fourme, on la dit « boutonnée d'or ».

Cantal, Salers et Laguiole

De 3 mois à 1 an

À trois mois ? Jeunes, souples et moelleux sous une croûte fine, ils conviennent aux citadins de la capitale.

À six mois ? La croûte commence à s'épaissir et ils commencent à intéresser les connaisseurs.

À un an ? La croûte se fissure, attaquée par de petits insectes acariens parasites : le Cantal est alors le régal des vrais autochtones, bercés par les souvenirs « cantalous », nostalgiques des immenses prairies parfumées. C'est à ce point de maturité que le Cantal exhale tout son bouquet, c'est en cet état qu'on l'utilise aussi pour la cuisine en assaisonnement des plantureuses soupes et des gratins de légumes.

D'après P. Androuët (*Cuisine d'Auvergne,* Denoël).

Chaource

Fromage au lait de vache provenant d'une zone bien délimitée, à cheval sur les départements de l'Aube et de l'Yonne, il doit son nom à la petite ville de Chaource, chef-lieu de canton de l'Aube à 29 km au sud de Troyes, célèbre pour une monumentale *Mise au tombeau* du début du XVIe siècle installée dans la crypte de son église.

Caillage à la présure pendant 24 heures, égouttage spontané, moulage dans des formes cylindriques sans fond et perforées, égouttage sur planches, salage et séchage sur paillons de seigle, puis affinage de 2 semaines : telles sont les étapes de sa fabrication traditionnelle (50 % de M.G.).

Fleurie d'une fine moisissure blanche, la croûte forme un duvet riche et régulier. On rencontre un « grand Chaource » de 450 g environ et un petit de 200 g, l'un et l'autre entourés d'une bande de papier avec une étiquette aux armes de la ville (un chat et un ours).

Le Chaource est au mieux de sa forme en automne : il se choisit bien blanc, avec éventuellement une légère pigmentation brunâtre sur le pourtour. Sa pâte fine et lisse est onctueuse et souple, mais sans mollesse. Il dégage une légère odeur crémeuse qui sent un peu le champignon ; sa saveur douce, un peu noisetée, possède une légère pointe d'acidité. Certains amateurs l'apprécient avec du Champagne, mais un grand Bourgogne rouge ou un vin de la région champenoise (rouge ou rosé) forme avec lui un bel accord.

Comté

La Franche-Comté (Doubs, Jura et Haute-Saône), plus quelques cantons des départements voisins, détiennent le privilège de fabriquer le Gruyère et le Comté, très ancien fromage au lait de vache cru et entier, à pâte pressée cuite. Fleuron du massif jurassien, le Comté se fabrique artisanalement et subit un affinage de 6 mois en général, dans différentes caves où la température varie de 12 à 20 °C. La toile de lin qui sert à prélever le caillé

Cuisson de la pâte du Comté.

dans la cuve laisse son empreinte dans la croûte. La grande meule cylindrique du Comté, qui pèse de 35 à 55 kilos, se reconnaît à son talon droit ou légèrement bombé ; il possède 45 % de M.G.

Légèrement grenée en surface, la croûte est jaune doré à brun ; la pâte, ivoire à jaune pâle, ne présente pas beaucoup de trous (gros comme des noisettes ou des cerises). Sans odeur très marquée, mais d'une saveur franche, le Comté possède un bouquet affirmé, qui évoque la sombre et chaude atmosphère de la fruitière. Il ne doit surtout pas être salé ou friable.

Très présent dans de nombreux apprêts de cuisine (canapés, fondues, gratins, beignets, croque-monsieur, croûtes), ce fromage de garde bon toute l'année constitue toujours un élément majeur du plateau de fromages. Choisissez-le avec l'« œil rare, petit et humide » : s'il pleure, c'est qu'il a rejeté son excès de sel. Pour un plateau régional, avec un Bleu de Gex et du Vacherin du Haut-Doubs, notamment, choisissez éventuellement un vin « jaune » ou du Mâconnais.

Crottin de Chavignol

Petite ville du Cher à une quinzaine de kilomètres de San- cerre, Chavignol est aujourd'hui célèbre dans le monde entier pour ses « Crottins » : ils ne doivent pas leur nom à ce que vous pensez (même s'ils sont ratatinés et noircis par l'âge), mais à la petite lampe d'argile appelée « crot » qui inspira la forme des faisselles de grès dans lesquelles ils sont moulés. Le terroir de ces petits Chèvres de très ancienne tradition couvre le Sancerrois, le Pays Fort et la campagne berrichonne, Bué, Crézancy, Verdigny et Amigny tout particulièrement. Mi-fermière, mi-laitière, la production des Crottins doit répondre à une telle demande, étant donné son succès, que cette inflation n'a pas été, parfois, sans poser des problèmes de qualité.

Le caillé de pur lait de chèvre faiblement emprésuré à chaud est égoutté, puis moulé ; après démoulage, salage et séchage, entrecoupés de fréquents retournements, il subit un affinage de 12 jours au minimum : c'est alors qu'il a droit au nom de « Crottin ». Mais les vieux Crottins à l'ancienne mûrissent en cave à sec pendant parfois trois mois, ce qui les rend presque noirs, durs et cassants, piquants au goût avec une odeur très forte : la grande majorité des Crottins sont néanmoins aujourd'hui appréciés demi-frais ou mi-secs.

Cette boulette aplatie de 60 g environ (45 % de M.G.) se présente à nu : croûte naturelle fine et blanchâtre, marbrée de bleu ou de rougeâtre, coupe bien lisse et pâte ferme et blanche, qui devient cassante au fur et à mesure que l'affinage se poursuit. Il dégage une légère odeur caprine, avec une saveur très typée, plus marquée en automne. Un blanc de Sancerre lui fait parfaitement escorte.

Fourme d'Ambert

Authentique produit du vieux pays arverne, la Fourme d'Ambert est faite au lait de vache : pâte persillée non pressée, elle provient de la Loire ou du Puy-de-Dôme, ou bien de quelques cantons autour de Saint-Flour, toute parfumée des pâturages du Forez. Le caillé emprésuré à chaud est découpé et brassé à la main, moulé et salé ; après égouttage et retournements, le piquage favorise la « pousse » du bleu et l'affinage dure au moins 40 jours. On obtient ainsi un haut cylindre de 2 kilos offrant une croûte saine et bien sèche, grisâtre ou jaunâtre, légèrement feutrée d'aspect, semée de quelques taches rouge orangé. La pâte ferme et homogène, souple et onctueuse, dégage une légère odeur de cave : d'une saveur douce et fruitée qui devient plus prononcée avec l'âge, parfois à la limite de l'amertume, elle possède des veinures internes pas trop marquées (50 % de M.G.).

Excellent fromage de fin de repas, bon de l'été à l'hiver, la Fourme d'Ambert (ou de Montbrison) apporte une note rustique sur le plateau : escortez-la d'un Charolais, d'un Ossau-Iraty, d'un Livarot et d'un Saint-Nectaire, par exemple, avec une bouteille de Coteaux-d'Auvergne. Par ailleurs, elle confère de l'originalité à certaines préparations : soufflés, crêpes farcies, salades composées. Enfin, comme on le fait parfois pour le Stilton anglais, on peut faire macérer dans sa pâte en la creusant de sondes une eau-de-vie ou du Sauternes. À déguster alors en « plat » unique, en dessert, avec du raisin frais.

Fourmes d'Ambert en cave.

Laguiole

Tomme cousine du Cantal, le Laguiole (prononcer « Layole ») est une des richesses de l'Aubrac, haut plateau entre 800 et 1 400 m d'altitude dont 30 communes à cheval sur l'Aveyron, le Cantal et la Lozère possèdent l'appellation. Le fromage est resté de fabrication artisanale, à partir de lait cru et entier, comme le Cantal. Son affinage dure de 4 à 6 mois et il est au mieux de sa forme de janvier à avril.

Moins volumineux que le Cantal et produit en quantités très modestes, le Laguiole forme un « tambour » de 30 à 50 kilos (45 % de M.G.). Présenté à nu, le fromage est frappé d'un taureau avec le mot Laguiole imprimé sur la croûte.

Épaisse de 3 mm au moins, celle-ci est brun ambré avec l'âge, mais blanc orangé assez clair quand le Laguiole est jeune. La pâte jaune paille, lisse, souple et ferme, dégage une bonne odeur lactique, mais avec un bouquet pénétrant. Sa saveur franche et pleine, avec une petite pointe aigrelette, s'accorde avec une consistance fondante et grasse, bien onctueuse. Délectable en petites lichettes à la pointe du couteau, avec une bouteille de Costières-du-Gard ou de Coteaux-d'Auvergne, en casse-croûte ou à l'apéritif...

Livarot

À déguster de juin à décembre, ce fromage au lait de vache à pâte molle et à croûte lavée provient d'un petit terroir de la vallée de la Viette, autour de Livarot, en plein pays d'Auge. Emprésurage du lait, caillage, découpage et malaxage, puis brassage à la main et décantage avant la mise au moule : la fabrication est de pure tradition artisanale. Le Livarot est retourné plusieurs fois, égoutté et salé au gros sel, puis, 24 heures plus tard, mis en cave pour un mois, avec lavages et retournements.

Ce gros cylindre épais, maintenu sur la tranche par cinq « laîches » (jadis de roseau, aujourd'hui le plus souvent en papier vert ou orangé) qui expliquent son surnom de « colonel », existe aussi en trois autres tailles plus petites.

Sous une croûte lisse et brillante, brun rouge à brun foncé, le Livarot possède une pâte homogène, fine et élastique, pratiquement sans trous, jaune d'or sans trace de blanc. Son odeur est forte — impossible de le nier — mais sans excès, et avec une saveur riche et relevée. Un vin rouge bien charpenté doit être servi s'il figure sur un plateau, ou encore du cidre bouché si l'on présente des fromages normands.

On a dit de lui, non sans préciosité, qu'il poussait « l'élégance vestimentaire jusqu'à se ceindre d'une ceinture verdoyante dont les filets d'un vert foncé constituent sans doute l'écharpe symbolisante du grade élevé qu'il détient dans le parlement fromager normand... »

Cave de Livarots à Boissey.

Maroilles

Fromage véhément dont l'odeur et la saveur « tonitruantes » résonnent comme le « son du saxophone dans la symphonie des fromages » (Curnonsky), le Maroilles s'annonce par un fumet qu'il est convenu de qualifier de « mâle » et possède une saveur à laquelle succombent bien des connaisseurs. Pâte molle à croûte lavée, elle possède 45 % de M.G. Son terroir exclusif est la Thiérache, mais on n'en fabrique plus dans la petite localité de Maroilles même.

Le lait de vache emprésuré donne d'abord un Maroilles blanc, moulé et frotté de sel, que l'on plonge en saumure ; démoulé, il est séché et se couvre en deux jours d'une moisissure blanche ; brossé et lavé à l'eau et à la bière, il est affiné en cave de 2 à 5 semaines selon le format (le gros pavé pèse 720 g, mais on trouve aussi le Sorbais, le Mignon et le Quart par taille décroissante). La flore typique des caves de Thiérache où il mûrit lui confère sa saveur inimitable.

Bon toute l'année sauf pendant le printemps, il offre une croûte rouge orangé, lisse et brillante, une pâte souple et onctueuse, dense et jaune clair. Son odeur doit être forte mais franche et son goût bien corsé, sans arrière-goût amer ou amoniaqué. Variété de Maroilles ayant subi un affinage particulier, le « Gris de Lille », surnommé le « Puant macéré », est réservé aux amateurs de sensations fortes, qui l'accompagnent de bière forte ou d'eau-de-vie.

Ne confondez pas le Maroilles et le modeste « Marolles », petit fromage fermier très local du Vendômois.

Munster

C'est dans les Vosges qu'il faut aller chercher le Munster (ou Munster Géromé) : Bas-Rhin et Haut-Rhin, Vosges, Moselle et Meurthe-et-Moselle, Haute-Saône et Territoire de Belfort possèdent l'appellation. Les hauts pâturages dont l'herbe épaisse est parsemée de dizaines de graminées aromatiques expliquent le bouquet inimitable de cette pâte molle à croûte lavée qui règne

Affinage du Munster.

sur tout l'Est de la France depuis plus de dix siècles.

Le caillé emprésuré est divisé et moulé sans lavage ni malaxage ; lentement égoutté, démoulé et salé, il est affiné en cave pendant 21 jours au minimum, lavé et retourné tous les deux jours. Outre le « vrai » Munster (de 450 g à 1,5 kilo, en forme de grand disque), il existe un petit Munster de 120 g au moins (45 % de M.G.).

Le Munster fermier se choisit en été, en automne ou au début de l'hiver. Pour une dégustation authentique, servez-le seul, avec des pommes de terre chaudes en robe des champs, de la bière ou un Gewurztraminer et du pain au cumin (encore mieux que les graines de cumin à part). S'il entre sur un plateau, attention à l'équilibre : un vieux Mimolette, un Bleu de Gex, du Banon et un Bethmale peuvent compléter l'assortiment.

Sa croûte légèrement humide, mais non poisseuse, lisse et jaune ou rouge orangé, recouvre une pâte souple et onctueuse. Son odeur peu discrète va de pair avec une saveur relevée, mais très fine.

Neufchâtel

Le terroir de ce savoureux fromage normand correspond au pays de Bray (Seine-Maritime) et sa meilleure provenance reste sans conteste Neufchâtel-en-Bray, où les « frometons » sont réputés depuis des siècles. C'est au caillé emprésuré et égoutté (parfois légèrement pressé), que l'on ajoute des miettes de fromage déjà « fleuri » pour l'ensemencer ; la pâte est alors malaxée, moulée et salée, puis affinée pendant 10 à 15 jours.

C'est le moulage qui permet de donner à ce fromage à pâte molle et à croûte fleurie (45 % de M.G.) six formes différentes : la Bonde cylindrique de 100 g, la double Bonde, le Carré ou la Briquette de 100 g, le Cœur de 200 g ou le parallé-

Moulage d'un Cœur.

lépipède de 1 kilo. Fermier, il est proposé à nu sur un paillon ; laitier, il est emballé dans du papier.

C'est d'août à novembre

qu'il est le meilleur : fleur duveteuse et bien blanche, pâte lisse et moelleuse (il doit être « moussé »), légère odeur de moisissure et délicate saveur que met en valeur un rouge nerveux et fruité (Côtes-du-Rhône, Graves ou Minervois), quand on le sert en compagnie d'un Reblochon, d'un Chabichou, d'un Bleu de Bresse et d'un Beaufort, par exemple. Certains amateurs attendent parfois décembre pour le déguster : la pâte jaune d'or foncé possède un goût nettement plus corsé, sous une croûte presque lie-de-vin.

Ossau-Iraty

Fromage de lait entier de brebis à pâte pressée non cuite, cette spécialité basco-béarnaise est originaire des Pyrénées-Atlantiques ou des Hautes-Pyrénées. À la ferme ou en fromagerie, la fabrication reste artisanale : lait emprésuré à chaud et brassé au fouet, caillé moulé et pressé, puis salé et affiné pendant au moins 3 mois en cave humide et fraîche.

Sa qualité exceptionnelle tient à l'animal dont il est issu, nourri de la flore aromatique des montagnes où les bergers le fabriquent dans les « cayolars » aux toits de cailloux. C'est une grosse meule cylindrique de 4 à 5 kilos en moyenne, à talon plat ou légèrement convexe (50 % de M.G.).

On prétend à Arnéguy que les soldats de Roland se réconfortèrent après Roncevaux en faisant honneur au fromage de brebis. À Ossau ou à Iraty, après avoir dégusté le gigot d'agneau à l'ail et avant de savourer la tourte aux cerises, on présente un Ossau-Iraty bien maturé, séché et durci, que met en valeur une bouteille d'Irouleguy ou de Madiran. Râpé, il intervient aussi en cuisine. Mais les citadins l'apprécieront moins affiné, avec une pâte blanche et lisse, ferme et onctueuse sous une croûte épaisse, gris clair à orangé. Son odeur peu développée contraste avec sa riche saveur de terroir. Sa meilleure saison va de la fin du printemps à l'automne. Une idée de plateau très originale : Époisses, Ossau-Iraty, Selles-sur-Cher, Mimolette et fromage au poivre, avec un Cahors.

Picodon

L'Ardèche et la Drôme constituent le terroir d'élection du Picodon (qui « pique » quand il est affiné), ainsi que deux cantons du Gard et du Vaucluse. Le lait de chèvre entier, emprésuré...

suré et caillé, est moulé à la louche dans des petits moules perforés. Après égouttage, salage en deux temps, puis séchage sur grille et affinage en 12 jours au moins, on obtient des petits palets ronds de 1 à 3 cm de haut, vendus à nu (45 % de M.G.). Une idée de dessert : deux ou trois Picodons par personne, à différents degrés d'affinage, avec un Côtes-du-Rhône rouge ou rosé. Au mieux de sa forme en été et en automne, il s'accommode aussi comme le Crottin : rôti ou avec une salade.

Sa croûte naturelle vire du blanc au bleuté puis au rougeâtre au fur et à mesure qu'il vieillit. Sa pâte, blanche à jaune, fine et homogène, devient peu à peu cassante et si la maturation se prolonge, sa légère odeur caprine et son goût de chèvre soutenu gagnent en force jusqu'à l'âpreté.

Dans la Basse-Ardèche, on lave les Picodons dans de l'eau-de-vie, on les essuie avec un torchon, on les enveloppe de feuilles de vigne ou de clématite et on les enferme dans des pots de terre : « Ils sont forts : la croûte en est bleue ou noire, la pâte jaune marbrée de rose, on les râcle avant de les servir », avec du pain de ménage et un vin de pays, comme le recommande Charles Forot. À noter que les lieux de fabrication du Picodon sont également des truffières réputées...

Pont-l'Évêque

Calvados, Manche et Orne, Seine-Maritime, Mayenne et Eure, telle est la cartographie du Pont-l'Évêque, pâte molle à croûte lavée ou brossée de 45 % de M.G. Après emprésurage du lait chaud, aussitôt après la traite, le caillé est découpé, brassé et malaxé puis moulé. L'égouttage est accéléré par des retournements quotidiens avant et après démoulage ; après le salage commence l'affinage en cave pendant deux à cinq semaines ; la croûte peut être lavée, mais certains Pont-l'Évêque particulièrement délectables sont affinés à sec et présentent alors une croûte légèrement ridée, gris rosé.

Meilleure provenance ? La région de Pont-l'Évêque entre Lisieux et Honfleur. Meilleure saison ? Début de l'automne à la fin de l'hiver. Format ? Carré plus ou moins gros, ou bien rectangle (demi-Pont-l'Évêque).

« Sa confusion le rend blanc : laissons-là ce Brie ! Le Pont-l'Évêque est bien plus franc ! », proclama un poète normand de parti pris : ce fromage ne passe pas inaperçu, sans doute, avec son odeur forte et son goût prononcé de terroir qui s'accompagne à merveille de cidre bouché (par exemple pour clore un repas de crêpes de sarrasin). La croûte orangée jamais poisseuse recouvre une pâte fine et homogène, sans trous ni fissures et sans trace de blanc.

Le Pont-l'Évêque à croûte brossée sèche possède une odeur très typique due à un champignon spécifique qui accentue sa délicieuse saveur noisetée.

Pouligny-Saint-Pierre

Le microclimat de la vallée de la Brenne, dans l'Indre, est tout particulièrement propice à la réussite de ce Chèvre de forme caractéristique : un tronc de pyramide assez effilé que l'on affubla du surnom de « Tour Eiffel » (45 % de M.G.). Le lait entier des chèvres élevées dans 22 communes de l'arrondissement du Blanc permet d'assurer une production modeste de 167 tonnes par an (contre près de 36 000 pour le Gruyère de Comté, plus fort tonnage parmi les fromages A.O.C.).

Faiblement emprésuré, le caillé est moulé à la louche dans des moules perforés ; après égouttage, démoulage et salage, le séchage se fait sur claies ou sur paillons. L'affinage est de 15 jours au minimum mais se prolonge parfois 5 semaines.

Sous une croûte fine naturellement bleutée, la pâte blanc ivoire, ferme mais souple, dégage une légère odeur caprine et possède une saveur bien prononcée. Bon d'avril à octobre, il ne doit pas être choisi trop tôt dans la saison si l'on aime les Chèvres pas trop « lactiques ». Idée de menu : brochettes de cuisses de grenouilles, tête de veau à la vinaigrette, plateau de fromages (Pouligny, Pithiviers au foin, Boutons-de-Culotte, Murol et Gouda), puis clafoutis aux cerises, le tout avec un Sauvignon.

Diverses imitations de Pouligny commencent à fleurir dans les départements voisins, mais on trouve aussi une variété de Pouligny affiné au marc et enveloppé de feuilles de platane ou de châtaignier.

Reblochon

De la chaîne des Aravis au val d'Abondance, les massifs montagneux de la Savoie et de la Haute-Savoie sont le berceau des vaches « pie rouge » auxquelles on doit le Reblochon au lait cru et entier. C'est celui de la seconde traite, gras et riche, qui constituait traditionnellement la matière première de ce fromage à pâte pressée non cuite, à 45 % de M.G.

Le caillé est moulé, légèrement pressé, puis affiné en cave fraîche pendant au moins 2 semaines avec de fréquents lavages : une fabrication de chalets ou de petites fruitières qui donne un produit très original, doux et savoureux.

La croûte rose orangé pas trop dure doit être couverte d'une très fine « mousse » blanche : la pâte blanc ivoire est souple et onctueuse ; sa légère odeur de cave (plus prononcée quand il est bien fait) s'accorde avec une délicate saveur à l'arrière-goût de noisette. Associez-le sur un plateau avec un Rollot, un Bondon, une Tomme de montagne et un Bleu du Quercy. Ou bien servez-le en dégustation unique, avec un vin blanc fruité de Savoie, surtout s'il est à peine affiné et presque crémeux, comme un Vacherin. En été ou au début de l'automne, c'est un vrai régal. On le trouve en deux formats de cylindre plat, placé sur une fine feuille de bois (240 à 550 g).

Roquefort

« La terre fait le blé et l'homme ne fait que farine et son. De la brebis, une lente gestation nocturne tire l'agneau et de l'agneau l'homme ne sait tirer que des côtelettes ou des gants. Le Combalou fait le Roquefort, et le chimiste dans son local ne saura faire qu'une caséine... » (Henri Pourrat, *l'Aventure du Roquefort*). Il y a sans doute une part de mystère dans ce fromage fameux entre tous, fait de pur lait de brebis. Les zones de collecte du lait (ainsi que de caillage, d'égouttage et d'ensemencement) couvrent essentiellement (77 %) le « Rayon » : Aveyron pour les deux tiers, Gard, Hérault, Lozère et Tarn, puis la Corse (13,5 %),

La sonde à Roquefort.

les Pyrénées-Atlantiques (8,5 %) et l'Aude (1 %). Mais l'affinage a lieu exclusivement dans les caves naturelles de Roquefort-sur-Soulzon : chaque pain de 2,5 à 3 kilos est salé 4 jours sur une face et 2 jours sur l'autre, ainsi que sur le pourtour, puis piqué au sixième jour avec une trentaine d'aiguilles en acier, tandis qu'il repose sur une travée de chêne gorgé d'humidité, exposé aux fleurines ambiantes qui soufflent un air froid et humide. Au terme de 150 jours environ, on obtient un cylindre à croûte naturelle blanchâtre un peu luisante, avec une pâte blanche, onctueuse, uniformément veinée de bleu, bien persillée dans toute la masse. Une saveur prononcée sans être piquante, avec un bouquet très original et une consistance « beurreuse » fait de ce fromage un grand moment de dégustation, que l'on sert « chambré » comme un grand vin. Ce dernier sera un Cahors, un Madiran ou un Châteauneuf-du-Pape.

En cuisine, le Roquefort est l'un des fromages les plus riches de ressources : feuilletés, soufflés, beurre composé, farces, sauces, etc.

Saint-Nectaire

Son terroir (72 communes du Puy-de-Dôme et du Cantal) est une zone volcanique à 1 000 m d'altitude sur un sol riche parcouru de ruisseaux où pousse une flore abondante et variée, nourriture de choix pour les laitières de la région. Célèbre depuis que Henri de La Ferté-Senneterre, maréchal de France, le fit connaître à Louis XIV, ce fromage continue de faire (avec une admirable église romane) la gloire de Saint-Nectaire et de ses environs.

Après emprésurage à chaud, le caillé est brisé, regroupé, moulé et pressé, salé et entouré d'une toile, puis remis en moule et pressé à nouveau. Après séchage, l'affinage dure au moins 21 jours, avec lavages à l'eau salée qui produisent sur la croûte des « fleurs » blanches, jaunâtres ou rouge orangé. Le Saint-Nectaire fermier (bon en été et en automne), fabriqué selon la tradition matin et soir, s'affine sur paillons de seigle dans une cave naturelle creusée dans le tuf volcanique. C'est un gros disque épais de 1,7 kilo environ (45 % de M.G.), mais il existe aussi un petit Saint-Nectaire de 600 g.

Sous une croûte naturelle fine et sèche, la pâte est souple et onctueuse, jamais sèche ou durcie. Avec sa légère odeur de champignon, il possède un bouquet remarquable et une

Démoulage du Saint-Nectaire.

saveur noisetée caractéristique : les spécialistes disent que la pâte, à la coupe, doit « corder légèrement sans s'avachir ni couler », afin de révéler toute sa délicatesse. Bon de juillet à mars, il a l'avantage de s'intégrer facilement à toutes sortes de plateaux.

Salers

Entre le 1er mai et le 31 octobre, dans le Cantal et dans une quarantaine de communes des départements voisins on se livre à la fabrication du « Salers de haute montagne » : le cru laitier qui lui donne naissance doit sa richesse et son parfum à la flore des pâturages cantaliens où se côtoient la réglisse, la gentiane et la myrtille. Autant dire que la saveur du Salers est quelque chose d'unique.

Le lait est emprésuré et travaillé par le « vacher » sitôt trait : caillé rompu, rassemblé, pressé, puis, après maturation, broyé, salé dans la masse et pressé à nouveau en moule. L'affinage en cave profonde fraîche et humide dure de 3 à 12 mois. Cet énorme tambour de 35 à 55 kilos (45 % de M.G.) se reconnaît à une croûte dorée, épaisse et fleurie de taches rouges et orangées ; la pâte jaune est souple et grasse. Une bonne odeur fruitée se dégage de la masse et la saveur de terroir caractéristique du Salers s'affirme avec l'âge.

Ce fromage typiquement auvergnat peut constituer le

point d'orgue d'un plateau régional, avec du Bleu d'Auvergne, quelques Cabécous, du Saint-Nectaire ou du Murol, arrosé d'un Saint-Pourçain ou d'un Côtes-d'Auvergne. Il est généralement bon toute l'année car c'est un fromage de garde, mais si on l'apprécie plutôt jeune et bien onctueux, c'est en été qu'on le choisira.

Selles-sur-Cher

Chef-lieu de canton du Loir-et-Cher, le calme bourg de Selles-sur-Cher (église du XIIe et restes d'un château féodal) constitue le centre géographique de la région d'appellation de ce fromage de chèvre à pâte molle et à croûte cendrée (45 % de M.G.). Il est au mieux de sa forme de la fin du printemps à l'automne, lorsque les chèvres vont paître en liberté.

Le « vrai » Selles-sur-Cher est fait de lait faiblement emprésuré, caillé et moulé à la louche dans des formes rondes et basses légèrement tronconiques. On ne brise pas le caillé pour que la pâte conserve toute sa finesse et sa densité. Le salage précède une opération délicate : le cendrage avec de la poudre de charbon de bois mélangée à du sel. L'affinage dure de 12 à 21 jours. Cet excellent Chèvre en forme de disque épais aux bords légèrement biseautés (150 g pièce environ) a suscité toutes sortes de contrefaçons dues à la vogue actuelle des Chèvres.

Sous un extérieur bleu foncé à noirâtre (qui ne doit pas être « mouillé » ou trop épais), la pâte très blanche et ferme dégage une odeur légèrement caprine sans relents de moisi ; sa douce saveur noisetée ne doit pas être salée (son défaut le plus fréquent). Fin et fondant, ce savoureux fromage d'été s'apprécie au mieux avec un vin léger (Bourgueil).

Vacherin du Haut-Doubs

Les fervents amateurs de « Mont-d'Or » attendent impatiemment chaque année la saison de ce savoureux fromage dont la fabrication n'est autorisée que du 15 août au 31 mars. Son terroir est strictement délimité par la source du Doubs, la frontière suisse et le Saut du Doubs, à 700 m d'altitude au moins. Fromage artisanal par excellence, il est fabriqué avec le lait des montbéliardes ou pies rouges de l'Est riche et parfumé. Le caillé une fois pris et démoulé est cerclé dans une écorce d'épicéa qui permet de sangler la pâte, et la maturation se poursuit en cave, sur une planche d'épicéa, avec plusieurs retournements et lavages à l'eau salée. C'est dans la boîte elle-même que se termine l'affinage du Vacherin (3 semaines en tout au moins), une boîte en sapin ou en épicéa, dans laquelle on déguste directement à la petite cuiller après avoir retiré la croûte tellement il est crémeux.

Fabriqué en différentes tailles (de 500 g à 3 kilos), il offre une croûte jaune pâle à brun clair qui doit former en surface quelques plissements irréguliers ; la pâte blanc crème, tendre et onctueuse, légèrement humide, possède une saveur balsamique avec un très léger goût de fumé (45 % de M.G.). Son arôme délicieux se marie bien avec un blanc fruité d'Artois ou un vin de Savoie plus sec : il peut servir de dessert à lui tout seul.

La légère odeur de moisissure et de résine qui émane de sa croûte veloutée à reflets rosés est bon signe. Une fois entamé, mangez-le très rapidement ; conservez-le au frais (pas au froid) en appliquant contre l'entame une lamelle de bois. On peut le « prolonger » quelque temps en enveloppant la boîte d'un linge maintenu mouillé.

QUINZE ITINÉRAIRES GASTRO-TOURISTIQUES À LA DÉCOUVERTE DES FROMAGES FRANÇAIS

« De tous les mets préparés par la main de l'homme et que la nature ne produit pas tels qu'on les mange, le fromage est celui qui évoque le plus fidèlement l'aspect et le tempérament des paysages où paissent les vaches, les chèvres et les brebis qui donnent le lait dont ce fromage est fait. »

Jean-Louis Vaudoyer,
Éloge de la gourmandise.

Qu'ils viennent du Jura, du Cantal ou de Brie,
Du plat pays, de Corse, des Vosges ou du Berry,
Des confins béarnais ou des bords de la Loire,
Des grasses prairies d'Auge ou du mont du Revard,
Doux, âpres ou bien fondants, en meules ou en palets,
Qu'ils soient pressés par les trappistes
Ou moulés en faisselles,
Battus, lavés, brossés, retournés et séchés,
Que leur croûte bleuisse, se fendille ou se gerce,
Qu'à l'odeur ils se nomment ou que, tout frais,
Ils sentent la brebis, la chèvre ou la crème fraîche...

Les voici qui nous parlent de leurs territoires, de leurs traditions, de leurs exigences et du savoir-faire des hommes.

« Avec un bidon de lait fourni par une vache placide, le fromager est obligé de travailler dans l'éternel », disait F. Amunategui.

Partons à l'exploration du continent fromage.
Dépaysement garanti et surprises en cascades... C'est à une évocation de la richesse fromagère que nous vous convions. Vous ne trouverez peut-être pas tous les fromages cités. Certains disparaissent, mais d'autres renaissent.

Normandie

« Chacun son métier, les vaches seront bien gardées », dit un proverbe normand. Et s'il est un chapitre où le Normand s'y connaît, c'est celui du lait et de ce qu'on en tire. Outre 4 appellations renommées (voir Camembert, Livarot, Pont-l'Évêque et Neufchâtel), la Normandie dispose d'abondantes ressources fromagères. Bray, Caux, Auge et Cotentin sont autant de vastes fermes où triomphent les pâtes molles et onctueuses, avec toutefois des nuances. Le nom de Gournay reste indissociable des fromages enrichis, doubles - ou triples-crèmes : Bondes, Bondards et Bondons, Carrés et Cœurs de Bray, Fin-de-siècle, La Bouille et Brillat-Savarin sont de cette veine, sans oublier le délicat Petit-Suisse. L'Auge propose pour sa part le Mignot : « blanc » (frais) ou « passé » (affiné), c'est peut- être le dernier des fromages fermiers normands, et le cidre accompagne bien sa saveur fruitée. On y ajoutera aussi le Pavé d'Auge ou le Pavé de Moyaux, ainsi que

Quelques adresses dignes de confiance :

Robert Jollit
7, rue Gambetta
27500 Pont-Audemer

M. Delorme
Camèmbert, 61220 Vimoutiers

M. Durand
Camembert, 61220 Vimoutiers

M. Chabichou
10, rue Pierre-Aimé-Lair
14000 Caen

sans préjuger des autres : goûtez et comparez.

le Petit-Lisieux ou le Carré de Bonneville. Dans le Cotentin, surtout réputé pour sa crème fraîche et son beurre, on trouve le Bricquebec, genre de Saint-Paulin originellement fabriqué par les moines de la Trappe de Bricquebec, aujourd'hui par la laiterie de Valognes (saveur douce et légère odeur de cave). Localement, existe-t-il encore le Villedieu (genre de Pont-l'Évêque) ou le Trouville (genre de Neufchâtel), le Gauville (fromage « fort ») ou le Maromme à croûte fleurie ? Enquêtez vous-même... Et reprenez en chœur la chanson de R. Girardeau, poète normand :

« Bondon, Bondart et Triple-Bonde,
Petit-Gervais et Camembert
Font chaque jour le tour du monde
Entre la poire et le dessert... »

Autre halte recommandée : le Conservatoire des techniques fromagères à Livarot et à Saint-Pierre-sur-Dives (où l'on ne manquera pas d'admirer l'église abbatiale et l'imposante halle en pierres où se tient le marché). Et puis aussi le musée Fernand Léger à Lisores, les manoirs à colombages du pays d'Auge et les vieilles fermes sous les pommiers.

Auvergne

Cette province du centre de la France possède sans doute le privilège de l'ancienneté en science fromagère. Avant Charlemagne, Pline en vantait déjà les incomparables produits, que célèbre aujourd'hui Robert Sabatier : « Pour un poète, c'est-à-dire un amoureux des mots, quelle merveille que de s'adonner au nominalisme. Si je prends par exemple les fromages, je les entends chanter : Fourme d'Ambert, Cantal, Murol, Saint-Nectaire, Laqueuille, Pontgibaud, et les Cabécous, Chèvretons, Tommes, Roquefort et Bleus. » À Roquefort-sur-Soulzon, halte inévitable aux Établissements Gabriel Coulet et à la Société anonyme des caves associées.

Dans un buron à Laguiole.

129

Comparez aussi avec les produits Papillon. .

Mais le plateau des fromages auvergnats se pare de bien d'autres nuances de bleus : Laqueuille, Loudes, Velay, Thiézac, Bassillac, Cayres, Costaros, La Planèze ou Tulle, tous plus ou moins sapides et d'odeur pénétrante, auxquels il faut ajouter la Fourme de Mézenc, sur les hauts plateaux du Puy. Et puis sur place, inventoriez les petits chèvres : Brique du Livradois, Galette de la Chaise-Dieu, Bassez du Rouergue, Chèvretons de Conne et de Souvigny, Cabécous d'Entraygues et du Fel ou de Rocamadour. Ils font parfois figure de vestiges folkloriques — mais ô combien délectables — à côté de ces deux célébrités que sont devenus le Gaperon (petite boule de pâte pressée relevée d'ail et de poivre, fait de lait écrémé) et le Murol, cylindre troué (pâte pressée à croûte

Deux adresses à Aurillac :

Henri Grillet
Crémerie du Gravier
22, cours Monthyon
15000 Aurillac

Alain Muzac
2, rue des Frères-Charmez
15000 Aurillac

orangée, de saveur douce) qui constitue à sa manière un vrai coup de maître en marketing.

Au pays des tripoux et du boudin aux châtaignes, du petit-salé et de la soupe aux choux, le fromage a donné naissance à des apprêts hautement roboratifs. L'aligot, vieux plat du pauvre des monts du Cantal, est devenu un fleuron de la gastronomie régionale (que la Coopérative Jeune Montagne de Laguiole propose même en produit surgelé) : onctueuse et filante, c'est une purée de pommes de terre détendue de

Dans une cave à Roquefort.

Richesses fromagères.

beurre et de crème puis mélangée avec le même volume de tomme fraîche bien grasse. La truffade est une autre alliance de Laguiole et de pommes de terre : coupées en « taillons », elles rejoignent dans une poêle lardons grésillants et lamelles de tomme. Quant à la patranque, c'est une grosse panade agrémentée de copeaux de Cantal frais, poivrée et aillée. Appétit d'oiseau s'abstenir.

Et un conseil : lire le savoureux *Margaridou, cuisinière en pays d'Auvergne* (S. Robaglia, Nonette), qui sait bien parler du Cantal : « Fromage monumental qui doit à ses dimensions mêmes son genre de goût. Sa croûte est à elle seule un poème, avec ses petites fleurs rouges, d'ocre et de vermillon qui garantissent la valeur du mets délectable, la bonne fermentation longuement surveillée, dans la bonne cave au sol de terre battue. »

——— Flandres, Artois et Picardie ———

Le Nord et ses fromages « forts » : tous (à l'exception du Monts-des-Cats, un Trappiste genre Saint-Paulin, et de la Boule de Lille, Mimolette français) se caractérisent par un arôme puissant et une saveur affirmée, mais avec néanmoins beaucoup de finesse et de nuances, à commencer par le Maroilles. Celui-ci possède des variantes : le Mignon et le Quart, le Sorbais et le Manicamp (formats différents), et puis le Lon-

Boulettes d'Avesnes.

Pour s'orienter au mieux parmi les fromages du Nord-Pas-de-Calais, quelques adresses de fromagers-conseils :

J. Baclet
Produits des Flandres
33, rue du Sec-Arembault
59000 Lille

Schouteeten
Le Relais du fromage
212, rue Gambetta
59000 Lille

E. Gourlin
Au Maître Fromager
112, rue de Paris
59500 Douai

Louis Loridan
Aux Frais Pâturages
73, rue de Dunkerque
59280 Armentières

et surtout
Philippe Olivier
45, rue Thiers
62200 Boulogne-sur-Mer
un passionné authentique qui pratique aussi la vente par correspondance.

guet d'Hirson, la Baguette de Laon, le Losange de Thiérache, le Cœur d'Arras ou le Pavé d'Avesnes.

Quand on ajoute à la pâte des herbes ou des condiments, on obtient le Dauphin, ainsi que les inestimables Boulettes, d'Avesnes et de Cambrai, mais aussi de Papleux (la plus forte) ou de Prémont (plus douce et plus grasse). Mais si l'on impose à la pâte d'un Maroilles une puissante fermentation en saumure, on monte d'un cran encore dans la symphonie des odeurs et des saveurs, avec le Vieux Gris (Puant macéré) de Lille et le fromage fort de Béthune, vendu en pot, que l'on peut déguster avec un petit verre de vieux genièvre de Wambrechies.

Au pays des grands beffrois, des carillons et des bières fortes, des compagnies d'archers et des monstrueux carnavals chaleureux et populaires, pourquoi voudriez-vous que les fromages reflètent la douceur angevine ou la flore parfumée du maquis ?

On ne saurait quitter les fromages du Nord sans évoquer un chapitre plus doux de la gastronomie : la pâtisserie. Avec ses flamiches et ses goyères (ou gohières) d'ancienne renommée, le plat pays occupe une place de choix dans la cuisine au fromage. La gohière était jadis une tourte au fromage blanc aromatisée au miel et à la cassonnade dont François Ier raffolait, dit-on, et qui selon certains devrait son nom à un nommé Gohier.

Aujourd'hui, à Valenciennes notamment, c'est une somptueuse **tarte au Maroilles**, dont voici la recette (communiquée par G. Pascaud, maître-fromager à Neuilly-sur-Seine) :

Pour 4 personnes :
pâte brisée, 200 g de fromage blanc, 200 g de Maroilles, 3 œufs, 50 g de beurre, sel, poivre.

Foncer une tourtière beurrée de pâte brisée. Enlever la croûte du Maroilles et le couper en petits dés. Mélanger le Maroilles, le fromage blanc et les œufs battus en omelette, saler et poivrer. Remplir la tourtière de cette préparation. Cuire à four moyen pendant 30 min environ. En cours de cuisson, ajouter 50 g de beurre à la surface de la tarte.

Servir en entrée chaude, avec un vin rouge charpenté.

——— Alsace, Lorraine et Vosges ———

On ne saurait quitter si vite une famille de fromages aussi typés que les croûtes lavées du Nord : le Munster alsacien nous garde dans la note. Un seul fromage pour toute une région, mais quel fromage ! Cette grande création monastique au puissant goût de terroir se sert à l'alsacienne avec des pommes de terre en robe des champs chaudes, et pas de cumin, prétendent les puristes. Ces petites graines sont néanmoins un condiment classique, que certains remplacent par de l'anis, et que d'autres préfèrent comme aromate dans le pain que l'on mange avec le fromage.

Accords majeurs du Munster et des plaisirs de la province :
• Grande randonnée dans les chemins forestiers autour du Grand Ballon, arrêt dans une ferme-auberge (l'une de ces fer-

« Leçon de fromagerie »,
carte postale
les Vosges pittoresques.

mes des Hautes Chaumes qui se consacraient jadis, sous la conduite des « marcaires », à la fabrication sur place des fromages) ; au menu : Munster fermier et tarte aux myrtilles.

• Strasbourg en juin : festival international de musique ; truite au bleu, foie gras et Munster, arrosés de Gewurztraminer (qui prouve à quel point un Munster mi-affiné peut être doux et aromatique).

• Premier week-end de juillet à Ribeauvillé : fêtes du vin, dégustation et folklore ; salade de choucroute aux gésiers et Munster, pour se « refaire le palais » après la tournée des caves.

• Début septembre dans les villages fleuris mis en scène à la Hansi : Hoffen, Altkirch, Hunspach, Rouffach, au gré des petites routes sur les versants couleurs de vieilles tapisseries ; Munster et pinot rouge.

• Fin septembre à Haguenau : fêtes de la bière, Munster et *flammenkuchen* (tarte croustillante aux lardons et aux oignons), puis visite au musée de la ville pour voir les faïences, les grés, les poteries et une collection unique de marques à beurre.

Outre le Munster omniprésent, il existe aussi une préparation fromagère domestique traditionnelle : le Bibbelkäse, une pâte fraîche aromatisée au raifort et aux fines herbes, mise à macérer deux jours et servie en dessert ou au casse-

Fabrication du Munster.

croûte avec de la bière et du pain de campagne.

Quant à l'Oelenberg des trappistes, il relève de la famille des pâtes pressées monastériennes, souples sous le doigt et douces sur la langue, qui font notamment de bonnes croûtes rôties.

Quelques adresses entre le Haut- et le Bas-Rhin :

Georges Kern
8, avenue de l'Europe
67000 Strasbourg

Jean-François Vilpoux
Au bec fin, 8, rue des Orfèvres
67000 Strasbourg

Gilbert Ladouce
10 bis, passage de l'Hôtel-de-Ville
68100 Mulhouse

Claude Bronner
18, rue des Vallons
68200 Brunstatt-Mulhouse

Pierre Michel
75, route de Neufbrisach
68000 Colmar

Jean-Paul Kipfer
18, rue du Maréchal-de-Lattre-de-Tassigny
68360 Soultz

Nulle appellation contrôlée parmi les fromages de Lorraine, sur lesquels on ne saurait pourtant passer si vite. Le Gros Lorraine plaira aux amateurs de pâtes molles à saveur lactique douce et pénétrante, que l'on consomme presque fraîches avec un Côtes-de-Toul rosé. Le Gros Gérômé, s'il est bien affiné, peut remplacer honorablement un Munster, mais étant donné sa taille, il se consomme souvent à l'état « blanc ».

Fabriqué matin et soir, alors que le Munster alsacien est le produit d'un mélange entre le lait du matin et celui du soir, le Gérômé est un fromage onctueux et fruité ; il existe lui aussi aromatisé au cumin ou à l'anis. Près de Toul, partez à la recherche du Void, une pâte molle à la croûte lavée, une de plus, dont la forte odeur de terroir et le bouquet prenant s'apprécient en belles tranches rectangulaires. (Dégustez ensuite une part de tarte au pavot bien crémeuse : un régal supérieur !)

Mais ce qui caractérise la production fromagère lorraine, c'est son côté artisanal et domestique : fromages blancs aromatisés, fromages « forts » en pots ou caillés fouettés.
• Le fromage en pot est fait de caillé égoutté dans un linge jusqu'à ce qu'il soit sec, mis en pot de grès, salé et poivré parfois avec du cumin, suspendu pendant 3 semaines dans un endroit sombre et sec ; on râcle le dessus devenu moisi, et l'on déguste avec du pain de campagne une pâte jaunâtre et onctueuse.
• Le Trang'nat en est une variante ; affiné plus longtemps et dans un lieu tiède, il devient, une fois « passé », le Gueyin à l'odeur pénétrante qui fait reculer les non-initiés.
• Le Mattons, sorte de Cancoillote que les « étrangers » considèrent pratiquement comme immangeable, est commercialisé localement sous le nom de « Thionville ».
• Le Brocq (Brokott, Brockel ou Bracq), en revanche, est doux et lactique : ce petit-lait caillé, mélangé de lait, se mange avec du pain blanc ou des pommes de terre, plat classique des repas de jadis dans les campagnes.
• Le Carré de l'Est et le Récollet, souvent bien neutres aujourd'hui, étaient autrefois des pâtes molles à croûte orange qui offraient quelque ressemblance avec le Langres. Crémeux et parfumé s'il est de bonne fabrication, le Carré de l'Est risque de paraître bien fade aux amateurs de « personnalités fromagères ». Mais

Adresses fromagères :

Pierre Jacquot
22, rue de la République
54200 Toul

Michel Marchand
14, rue de Saurupt
54000 Nancy

« Qui a du lait peut voir venir », dit un proverbe lorrain. Du reste Nancy s'honore, outre d'avoir donné aux gourmets la quiche, les macarons, le baba et les bergamotes, d'abriter depuis 1904 une École supérieure de laiterie réputée.

Jura et Franche-Comté

Grande province fromagère depuis le Moyen Âge qui a vu naître les fameuses « fruitières », cette région fournit le Comté, le Bleu de Gex et le Vacherin protégés par des appellations d'origine. Poligny, la capitale du Comté, possède plusieurs fromageries traditionnelles et réputées pour l'excellence de leurs produits, notamment R. Janin (Comté exquisement noiseté, Bleu doux de Septmoncel, Vacherin de Joux, Morbier délicat et beurre cru) et J. Pianet à Chamole (Comté bien sûr, mais aussi Emmental, vrai Gruyère suisse, raclette et Reblochon fermier).

Le Morbier, devenu courant aujourd'hui (industrialisé au lait pasteurisé, avec une raie noire « au chiqué »), était à l'origine un fromage de casse-croûte montagnard. Il tire son nom d'une petite commune des plateaux du Jura où les bergers préparaient le fromage avec le caillé restant au fond de la cuve, moitié de la traite du matin et moitié de celle du soir : une couche de suie jouait un rôle d'isolation pendant l'intervalle entre les opérations. Cela donne un fromage fin et de haut goût, beaucoup plus savoureux que ses imitations. Du côté de Mouthe ou de Foncine, là où les randonnées de ski de fond permettent les plus belles rencontres avec la nature, allez acheter directement le Comté et le Morbier à la fruitière locale...

Le Chevret de Franche-Comté, lui, est en voie de disparition. Petit disque plat au lait de chèvre, couvert d'une fine croûte bleutée, il possède une pâte lisse et une bonne saveur noisetée.

Démoulage du Comté « frais ».

Quant à la fameuse Cancoillote de Haute-Saône, elle est aujourd'hui largement diffusée en dehors des frontières de son terroir natal, en pots de plastique ou en boîtes de conserve. Ce « metton » (lait de vache écrémé) cuit, caillé et mis à fermenter jusqu'à consistance de crème, est mélangé avec du beurre, du vin blanc, des épices et de l'ail. Comme le recommande une chanson franc-comtoise à la gloire de cette spécialité qui « cocotte » :

« Pour que l'metton soit bien pourri
Sous l'édredon au pied de vot'lit,
Près d'la bouillotte,
Vous l'installez là quelque temps,
Fondez et vous avez seulement
D'la Cancoillotte. »

La Cancoillotte se consomme tiède sur des tranches de pain grillé. Mais attention : si elle vire au gris, elle est définitivement « passée ».

Savoie et Dauphiné

Avec le Reblochon et le Beaufort, la Savoie se défend bien au tableau des appellations, mais le pays alpin possède d'autres ressources qui puisent leur saveur dans les vastes prairies d'herbes fleuries, drues et odorantes.

La pie rouge d'Abondance et la tarine fournissent la matière première d'une quinzaine de fromages au premier rang desquels se range bien entendu le Beaufort, chef-d'œuvre aromatique et fruité, qui symbolise à lui seul la « haute montagne ». La Coopérative laitière du Beaufortin, à Beaufort, produit un incomparable Beaufort de la Vanoise.

Si l'Emmental français tente de concurrencer son modèle de l'Oberland bernois (avec d'ailleurs davantage de brio en Haute-Savoie que dans le Doubs), le Brisego, lui, ô combien plus rare, est typiquement savoyard : c'est une sorte de sous-produit des Beauforts qui se brisaient durant l'affinage et dont la pâte était malaxée avant d'être mise à fermenter, d'où la saveur piquante et parfois même violente de cette pâte grasse, devenue presque introuvable depuis que les meules de Beaufort imparfaites servent à la fabrication des pâtes fondues.

Trois adresses où faire provision :

Jean-Luc Goninaz
La Glivrehaz
73270 Beaufort-sur-Donon

Armand Perrière
26, rue de la République
73200 Alberville

Denis Provent
2, place de Genève
73000 Chambéry

Au rythme sonore des clarines, dans les hautes vallées semées de villages accroupis sous leurs grands toits, promenez-vous au pays des Tommes, maigres ou grasses, bien rondes ou bosselées sous leur croûte grise : la Boudane de basse montagne, fabriquée en hiver, celle de Belleville ou celle du Revard, celle des Bauges, sans oublier la Tomme au fenouil et surtout celle au marc, du Beaufortin ou de la Tarentaise, vieillie dans une cuve de marc de raisin fermenté. Le Reblochon, si moelleux, se tartinerait presque, et la douceur aromatique de sa pâte constitue volontiers un délicat « hors-d'œuvre » dans un repas de fromages. Recherchez celles de Thônes ou du Grand-Bornand. Son cousin le Tamié est moins crémeux, mais parfois presque plus parfumé. Le Vacherin d'Abondance est également délectable, ainsi que celui des Bauges (de la vallée des Aillons) : ces épaisses galettes recèlent des saveurs balsamiques particulièrement délectables avec un vin blanc fruité de Savoie (Crépy, Roussette ou Montmélian).

Autre fleuron de ce pays fromager, le Toupin à pâte cuite, auquel les amateurs trouvent un parfum de gentiane. Encore plus rare sur le marché, le Tignard est un Bleu au goût fin et parfumé.

Mais en Savoie, il n'y a pas que des vaches ! Outre les Tommes de chèvre (de Courchevel, des Allues, de Pralognan ou d'Arêches), à pâte pressée, souple et douce au goût, ou au contraire piquante, on compte aussi avec le Chevrotin du Chablais, que l'on trouve jusque dans le Lyonnais, avec sa croûte sèche et râpeuse qui cache une fine saveur. Berrichons et Poitevins n'ont parfois pas grande considération pour ces Chèvres-là, mais le Grataron de Hauteluce séduira les amateurs de goût de terroir bien marqué, et surtout le Persillé des Aravis, ferme et sapide, hélas bien rare, saura convaincre par son onctuosité savoureuse.

Si les montagnes alpines abondent en fromages, leur cuisine, elle aussi, y fait honneur. Passons sur les fondues trop connues, symbole de l'art de vivre en chalet, savoyard ou helvétique, pour attirer l'attention du gastronome sur, notamment, les ravioles farcies de Beaufort et de fromage de chèvre, la soupe à la Tomme ou la simple omelette au Beaufort, au jambon et à la crème fraîche.

Quand on entre en Dauphiné, c'est le Saint-Marcellin qui s'impose. Il dut sa gloire à Louis XI et sa pâte, un peu molle et bien crémeuse sous une croûte veloutée, doit sa saveur au lait de vache (qui autrefois était de chèvre).

Il faut le choisir notamment à Lyon chez Renée Richard ou chez Maréchal, aux Halles de la Part-Dieu.

Dans la région de Montélimar, à Dieulefit, goûtez le Picodon, ferme sans dureté et piquant sans excès. A Villars-de-Lans, dans l'Isère, faites honneur au Bleu de Sassenage, sapide à la limite de l'amertume ; le Bleu du Petit Bayard qui lui est apparenté est moins fort. Le Beaupré de Roybon, ou Chambarrand, est un trappiste sans histoire, mais les Tommes (souvent de laits de chèvre et de vache mélangés) se diversifient à l'envie : de Romans, de Champsaur ou du Crest, de Chabeuil, de Combovin ou du Pelvoux, elles s'apprécient autant fraîches que sèches.

Corse

Aujourd'hui beaucoup plus faible qu'autrefois, la production des fromages locaux, dans l'Ile de Beauté, utilise essentiellement le lait que donnent les troupeaux pendant la fermeture saisonnière des caves qui alimentent Roquefort. Les fromages traditionnels corses se font toujours en montagne, avec du lait de chèvre ou de brebis : à Venaco et dans ses environs, un fromage qui rappellerait une Tomme à pâte pressée, assez souple, et dans le Niolo, un Niulincu à croûte colorée, très fort de goût. La Ricotta de Sartène est d'inspiration sarde. Mais le plus célèbre des fromages corses reste le Broccio, qui se mange soit frais (48 heures après sa fabrication), soit sec et salé : quand il est durci et conservé au frais, il faut le dessaler pour l'utiliser comme condiment en cuisine. Le meilleur vient des hauts plateaux de l'île. La mère de Napoléon, Letizia Buonaparte, fit venir dit-on des chèvres à la Malmaison pour profiter à demeure de ce Brocciu dont elle raffolait, mais jamais elle ne retrouva — bien évidemment — l'arôme subtil et inimitable des herbes du maquis...

Il faut citer aussi un Bleu de brebis, assez pâle imitation du Roquefort, et le Sarteno, une Tomme de chèvre très affinée, au goût tenace. Le Fiumorbu de brebis, affiné moins longtemps, se montre plus discret. Quant au Brindamour, aromatisé aux herbes du maquis (romarin, sarriette), on l'aime frais ou bien sec, toujours aussi parfumé.

La cuisine corse fait une large part au Broccio frais, comme le montrent notamment :
• les *ravioli à la bastiaise*, carrés de pâte à nouilles farcis de purée de feuilles de bettes mélangée avec du Broccio frais, des œufs, du sel, du poivre et un peu de sarriette ; pochés à l'eau bouillante, égouttés et rangés dans un plat, ils sont poudrés de Parmesan mêlé de Broccio sec pour faire gratiner.
• Et surtout la fameuse

imbrucciata, dont il existe toutes sortes de variantes : 500 g de Broccio frais + 4 jaunes d'œufs + 80 g de sucre en poudre + 1 zeste de citron râpé + 1 cuillerée à soupe d'eau-de-vie + 3 blancs d'œufs en neige ferme, le tout cuit au bain-marie dans un moule à charlotte caramélisé, démoulé une fois tiédi.

Ile-de-France

Le tour de France des fromages commence souvent par les fameux Bries de Meaux, de Melun ou de Montereau, de Coulommiers ou de Nangis, et le premier de la liste éclipse naturellement de son faste les autres productions fromagères de l'Ile-de-France. Soyons honnêtes et citons aussi : le Chevru, vestige d'un Brie disparu, affiné à sec sur un lit de fougères, souple et fruité, avec son cousin le Fougeru, genre de Coulommiers revêtu de rames de fougères.

Le Coulommiers lui-même, fromage de grande consommation, peut atteindre la grande qualité quand il est au lait cru, avec une franche odeur de brie et un bouquet agréable.

À noter :

Jean Braure
18, rue de la Cordonnerie
77160 Provins

Claude et Nicole Lauxerrois
15, place du Marché
77120 Coulommiers

Belle sélection fromagère à Dreux : chez Plot.

Pose des feuilles de châtaignier sur les Dreux à la feuille.

Le « Blanc de Brie » de Coulommiers intervient notamment dans la préparation d'une fameuse brioche à la farine de froment « poussée » à la levure de boulanger (250 g de fromage pour 500 g de farine).

La Feuille de Dreux, ou Dreux à la feuille, couvert d'une feuille de châtaignier à plat sur son disque à croûte fleurie, possède une saveur très fruitée. Son origine la plus réputée, nous dit Androuët, est Marsauceux, dans l'Eure-et-Loir. Le Voves cendré, qui lui est apparenté, est affiné quant à lui dans de la cendre de bois, mais il a presque disparu.

Le Fontainebleau, tout frais, tout blanc et non salé, se mélange de crème fraîche et s'apprécie l'été avec des fraises ou des framboises. Et puisque nous sommes parmi les douceurs crémeuses et onctueuses, citons aussi les Explorateur, Délice de Saint-Cyr, Gratte-Paille et Grand-Vatel qui ont leurs adeptes. Et puis il faut bien considérer comme typiques de l'Ile-de-France ces Rambol aux noix, Boursin ou Tartare au poivre, à l'ail ou aux fines herbes, Poivridoux au cognac ou Brie au poivre noir qui gagnent un public nombreux.

Champagne-Ardenne

Outre une merveille au chapitre des vins, la Champagne nous réserve un autre chef-d'œuvre au chapitre des fromages : le Chaource, à la fois crémeux, onctueux et légèrement acidulé. Mais cette région peu courue par les touristes réserve d'autres surprises aux amateurs de fromages qui iraient flâner entre Reims et Troyes, Épernay et la forêt d'Argonne. Le Rocroi, ou Cendré des Ardennes, à pâte souple et très fruitée, est le chef de file d'une famille de Cendrés que l'on trouve assez répandue en Champagne, en Argonne et jusque dans l'Orléanais, avec notamment le Cendré des Riceys (parfois à la limite du

Le Chaource et le Langres.

« rance »). Le Barberey troyen et l'Évry sont plus que rares. Quant à l'Igny, c'est un trappiste à pâte pressée fabriqué dans une abbaye de la Marne. Enfin, le Chaumon de Neuilly-sur-Suize, qui rappelle le Langres, possède une saveur relevée qui ne doit pas être amère.

Pour le Langres, fort et pénétrant, mais sans agressivité, reconnaissable à sa forme tronconique déprimée au sommet, une seule provenance s'impose : le Bassigny, au nord-est du plateau de Langres (où l'on ira visiter impérativement la cathédrale romano-gothique de style bourguignon, sa chapelle Renaissance et ses tapisseries).

D'Angers à Bourges, Touraine, Orléanais, Berry

À 9 km de Laval, les moines cisterciens d'Entrammes avaient créé le plus célèbre des fromages trappistes : le Port-du-Salut, devenu une production industrielle. Mais il semble qu'on puisse encore acheter le fromage des moines à la Trappe... Le Chèvre de Montreuil-Bellay, près de Saumur, n'est pas inoubliable et les Crémets d'Angers, mélange de fromage blanc égoutté et de crème fraîche, font bonne figure dans un repas où figureraient le saumon beurre blanc, le cul-de-veau à l'angevine et le pâté de prunes, arrosés d'un vin blanc des coteaux de Saumur.

En Touraine, les choses sont plus sérieuses : c'est le terroir du Sainte-Maure, cylindre bleuté oblong, plus étroit à un bout, traditionnellement traversé d'une paille, au goût caprin puissant et développé, qu'il faut choisir à croûte très fine légèrement tachetée de rose : à ne pas confondre avec le « Chèvre long », parfaitement cylindrique, cousin laitier du Sainte-Maure fermier, souvent emballé de papier et fleuri de blanc... Si vous vous égarez du côté de Moulins-sur-Céphons, dans l'Indre, halte conseillée chez G. Huet : pyramides d'avril à octobre, crème fraîche et beurre fermier. Le Tournon-Saint-Pierre (tronc de cône assez haut), à croûte naturelle sur une pâte ferme, possède une saveur douce et fruitée, mais il ne doit pas trop durcir. Le Ligueuil et le Loches sont aujourd'hui industrialisés. Alors écoutons Balzac nous parler des choses du passé : « La servante apporta pour dessert le fameux fromage mou de la Touraine et du Berry, fait avec du lait de chèvre et qui reproduit si bien en rielles les dessins de feuilles de vigne sur lesquelles on le sert, qu'il aurait dû faire inventer la gravure en Touraine. »

L'Orléanais nous propose

Mise en faisselles des Chèvres dans le Berry.

aussi des fromages au lait de vache, comme le Bondaroy au foin, également appelé Pithiviers (attention à son excès de salinité), ainsi que le Cendré et l'Olivet, fromages de petite laiterie à saveur fruitée peu relevée, qui existent en version « bleue » (croûte naturelle) ou « cendrée » (affinage en coffre de cendre), avec une saveur nettement plus forte. Le Montoire, lui, est un chèvre fermier qu'il faut chercher entre Vendôme et Château-du-Loir. Au lieu dit La Gennetière Naveil, un agriculteur biologique propose ses chèvres bien crémeux et ses cendrés goûteux, son miel et son vin du Loir. N'oublions pas non plus le délicieux Pavé blésois reconnaissable à sa forme de basse pyramide tronquée.

Mais les ressources fromagères de la région ne sont pas encore épuisées : connaissez-vous le Patay au lait de vache, le Pannes cendré de Montargis, le Troo fermier affiné dans la cendre et le Thenay, sorte de petit camembert ? Le Vendôme se fait rare, lui aussi : ce petit disque épais existe en bleu (bouquet fruité) ou en cendré (saveur plus forte).

Le Berry est fier à juste titre de ses carpes farcies et de ses crêpes aux oignons, de son poulet en barbouille et de son gigot de 7 heures, de ses terrines de gibier et de ses tourtes aux fruits, mais sans doute plus encore de ses inestimables Chèvres : Bué, Crézancy, Verdigny et Amigny portent haut la renommée du fameux Crottin et à Chavignol même, une halte n'est pas à dédaigner chez Dubois Boulay. Le Pouligny-Saint-Pierre et le Selles-sur-Cher sont souvent tenus pour plus doux et plus noisetés, avec une pâte assez tendre et onctueuse sous une fine croûte bleutée pour le premier (surnommée Tour Eiffel), cendrée pour le second (qui souffre de plusieurs mauvaises imitations). Moins connus, mais tout aussi délectables, dégustez aussi sur place le Chabris, une pâte molle au goût délicat, le Santranges-Sancerre, un « gros Crottin » bien affirmé, tandis que le Valençay peut aller du meilleur (de mars à octobre s'il est de bonne fabrication fermière, frais, demi-sec ou sec) au pire (granuleux et trop salé, qui ne conserve de typique que sa forme de pyramide tronquée et charbonnée). Le Levroux, le Graçay, et le Châteauroux séduiront également les amateurs.

Mais pour en revenir au fameux Crottin, parangon de tous les Chèvres, il peut se déguster à cinq degrés de maturation (cette gradation peut d'ailleurs s'appliquer à d'autres Chèvres plus ou moins gros).

• A peine sorti du moule, mou et blanc, il possède une texture onctueuse que l'on agrémente de ciboulette ou d'échalote ; à savourer à la petite cuiller (il n'a pas encore droit au nom de Crottin et se vend comme « Chèvre frais »).

• Au bout d'une semaine, l'arôme et le goût caprins commencent à prendre le dessus sur la « fraîcheur » : on le dit « coudré ».

• Deux ou trois jours plus tard, débouchez une bouteille de Reuilly blanc ou de Sancerre et dégustez-le « adulte » : la croûte est devenue légèrement bleutée, il possède le bouquet idéal (à noter que la durée d'affinage « légal » est de 12 jours). Attention s'il est « coulant » entre chair et peau : on dit alors qu'il est « malessui » (mal égoutté).

• Au terme de trois semaines, sa pâte est dure, sèche et cassante ; son goût est nettement plus fort, sans être néanmoins trop piquant : mi-sec, sec ou très sec, presque noir et rabougri, à vous de choisir.

• « Repassé » se dit d'un Crottin, ou d'un Chèvre dont l'affinage se poursuit encore, avec un goût d'une force qui s'accentue encore ; confiné en pot, il possède un piquant saisissant et demande des papilles exercées. Lorsque sa pâte se ramollit à nouveau, accompagnez-le d'un Bourgueil.

Mais il existe encore une autre façon de faire honneur au Crottin. C'est le fameux **Chavignol rôti**. L'authentique recette nous en est proposée par Jean Bouttier, fromager parisien de la Ferme du Hameau.

Choisir (par personne) un Crottin mi-sec, l'écroûter et le couper en deux dans le sens de l'épaisseur. Faire griller deux tranches de pain de mie sur une seule face, puis les frotter avec de l'ail sur la face grillée. Disposer les demi-Crottins sur les faces non rôties et glisser au four. Laisser fondre doucement et dorer légèrement. Servir chaud, avec une garniture de chicorée frisée assaisonnée d'une vinaigrette à l'huile de noix et au vinaigre de vin blanc.

De Bretagne en Vendée, Charente et Poitou

Les fromages bretons ne possèdent pas, dans la gastronomie française, la place qu'occupent les produits de la mer, les crêpes et la bolée de cidre (même si la Bretagne fabrique en masse Emmental français, Camemberts et Saint-Paulin).

La renommée locale s'attache au Trappiste de Campénéac, mais l'amateur préférera sans doute le Curé nantais, d'origine vendéenne, dont le bouquet est plus affirmé également que celui du Trappiste de La Meilleraye.

Crémets et Maingaux, fromages frais que l'on sert sucrés, ne pourront combler les connaisseurs en pâtes affinées...

Charentes et Poitou sont nettement plus riches en ressources. Nous entrons là au pays des chèvres. Tronconiques ou cylindriques, les Chabichous, longtemps fermiers, portaient des appellations locales très diverses. Beaucoup ont disparu, certains se débusquent au gré de la découverte, d'autres renaissent sous une forme plus ou moins industrialisée. Les meilleurs viennent sans doute de Neuville-de-Poitou ou des environs de Poitiers. Promenez-vous aussi du côté de Chaunay, Civray, Couhé-Vérac. Et tentez de déguster : le Lusignan, petit disque plat, doux et crémeux, le Mothais de La Mothe-Saint-Héray, de même forme mais plus corsé, le Couhé-Vérac (carré sous une feuille de châ-

Pour les provisions de bon fromage français :

Michel Stintzy
52, rue du Maréchal-Foch
56100 Lorient

taignier), nettement plus noiseté, ou le Chèvre à la feuille (jumeau du Mothais). Le Bougon (en boîte ronde), à l'agréable odeur caprine et de saveur affirmée, est aujourd'hui largement industrialisé, de même que les Saint-Cyr, mais le Ruffec (frais ou affiné), en disque épais, et le Saint-Maixent (carré) révèlent leur terroir. Le Sauzé-Vaussais, également « industrialisé », n'est pas sans intérêt, de même que le Saint-Varent.

Il va sans dire que cet échantillonnage de Chèvres de toutes formes et de tous degrés d'affinage permet, par la même occasion, de découvrir les petits vins du pays : Sauvignon, Gamay, Coteaux-du-Poitou ou Coteaux-de-l'Argneton.

L'éventail ne serait pas complet sans les fromages frais, les Jonchées, le Brebis d'Oléron et le Parthenay, que l'on peut servir avec des fruits, les « petits pots de Poitiers » et les Caillebottes d'Aunis, sans oublier le « Trois-cornes » moulé dans sa faisselle triangulaire.

Quelques adresses :

Jacques Guérin
19, rue Saint-Jean
79000 Niort

Robert Lepage
22, avenue Blaise-Pascal
79000 Niort

Daniel Fouray
46, rue Saint-Yon
17000 La Rochelle

Limousin et Marche, Morvan et Bourbonnais

Régions de transition sur les contreforts de l'Auvergne, ces terroirs réservent aux gastrotouristes pas trop pressés de jolies surprises locales, comme la visite à la Chèvrerie de Saint-Ouen-sur-Gartempe dans la Haute-Vienne (délectables petits Chèvres crémeux ou secs, en forme de palets ou de bûchettes).

La Tomme de Brach, au lait de brebis, haut cylindre de 800 g, possède une pâte sans veinures, ferme et grasse, avec une franche odeur et une saveur prononcée : c'est la Caillada de Vouillos typiquement limousine. L'idéal après un salé au chou, avant le clafoutis aux grosses cerises noires...

Le Creusot et le Gouzon, au lait de vache, à pâte plus ou moins molle, constituent, avec des pommes de terre, le traditionnel dîner du soir dans les campagnes.

Dans la région de Montluçon, où l'on sait si bien cuisiner les écrevisses au vin rouge, le brochet ou le sandre, le poulet gratiné au fromage et les carottes Vichy, goûtez aussi le Chambérat au lait de vache : un Trappiste rustique qui peut se révéler fruité. Le Liniez (Chèvre) existe-t-il encore ? Allez fouiner du côté de Vierzon. Le Roujadoux de vache se déniche dans l'Allier. Les Chevrotins de Moulins peuvent se révéler plaisants, tout comme le Chevreton du Bourbonnais, un petit Chèvre doux et noiseté qu'il faut se garder de choisir trop dur.

Bourgogne et Lyonnais, Bresse et Vivarais

En Auxois, seul le tour de main de la fermière saura donner la touche finale à un Époisses qui se respecte : d'une ferme à l'autre, dit-on, ce fromage haut en goût est différent. Robert Berthaut, à Époisses même, est tenu pour un grand spécialiste de cette pâte molle à croûte lavée au marc, dont la grande saison va de novembre à mars. Autre belle spécialité bourguignonne : le Soumaintrain, pâte molle à croûte lavée orangée, peu connue et délicieusement crémeuse, riche en saveur, avec un petit arrière-goût fumé. Le Saint-Florentin, encore une croûte lavée, est moins délicat et plus charpenté. Il faut également citer l'Aisy cendré, le Beugnon frais, le Citeaux (trappiste) et la Boulette de la Pierre-qui-Vire, aromatisée aux fines herbes, tous plus difficiles à trouver que les industriels Rouy et Ducs de Bourgogne. Dans le domaine des Chèvres, les Boutons-de-culotte jouissent de la vogue dont bénéficient actuellement les fromages format « bouchées ». Mentionnons aussi les Chevretons du Mâconnais, le Vermenton, le Pourly de l'Yonne, souple et noiseté, ainsi que les Gevrey et Montrachet, moins célèbres que les vins des mêmes terroirs, mais délicats et savoureux.

De passage en Nivernais, partez en quête des chèvres locaux qui agrémenteront vos pique-niques d'été : Dornecy de forme tronconique, Pougny, Pouilly, Toucy et Tracy.

Autre spécialité du terroir, le « Tiaque-bitoux » (Claquebitou l'appelle-t-on également) : un fromage blanc souvent servi avec une jatte de crème fraîche et un hachis de ciboulette, mais ce Charolais fermier pur chèvre est un vrai délice quand il est un peu plus égoutté et bien frais.

Citons enfin le « fromage fort » tel que le présente Henri Vincenot, Bourguignon de pure souche : « Mélange fermenté de meton (caillé) frais et de fromage fait (Époisses ou Langres), aromatisé d'une cuillerée d'eau-de-vie de prune ou de marc, d'une pointe de cannelle et d'un clou de girofle, le tout étant mis dans un pot de grès où les fermentations utiles se produisent pourvu que la température se maintienne aux environs de 20 degrés centigrades ; c'est ce qui explique que les pots de fromage fort soient maintenus, dans le ménage, sous l'édredon du lit où ils fermentent, profitant de la chaleur conjugale... » Le Chambertin, un Époisses « mûri » au marc de Bourgogne, suffit en général pour les amateurs de fromages frénétiques.

La renommée fromagère de la Bresse est modeste : le Bleu de création récente a remplacé le Saingorlon, tandis que le Bressan et le Chevret (de chèvre) restent anecdotiques. Pour évoquer le Vivarais, en revanche, laissons la parole à Charles Forot dont les *Odeurs et fumets de table* sont le meilleur guide. La Tomme vivaroise est un « concentré de lait de chèvre ferme et fraîche, fondante et musquée, au goût de crème, mais de crème un peu champêtre, presque sauvage ». Il y a aussi la Tomme de Vache, plus sèche et plus compacte, « de cette grossièreté loyale du pain bis » : on la mangeait traditionnellement avec des pommes de terre et du pissenlit ou de la mâche, en salade, avec une vinaigrette à l'huile de colza et à l'ail. Citons aussi les inestimables Picodons et la Fourme de Sainte-Agrève, qu'il faut laisser « bonner » dans une cave jusqu'à ce qu'elle prenne une croûte grise et rugueuse : « Cou-

pez cette croûte, percez-la avec cette espèce de tarière à prendre les tâtons que vous tend le marchand, et vous aurez une pâte grasse et friable en même temps, striée de bleu, moins puissante et moins onctueuse que le Roquefort, moins piquante, aussi parfumée et d'une robuste saveur. »

La montagne réserve une autre rareté, le Miramande, ou Foudjou, fait de petit-lait égoutté, mis à sécher, puis fermenté avec du poivre, de la moutarde et un peu de marc : « non point l'éclatement sec et sans parfum de certains piments, mais un embrasement où se combinent les odeurs des fromages forts et les subtilités des eaux-de-vie ». Mais comme on dit là-bas : « ço fai sé » (ça fait soif !) Il faudrait aussi goûter la Brique du Forez, ou Cabrion du Livradois, ferme et bouquetée, la Rigotte de Condrieu (la « vraie », ni desséchée ni rancie, mais douce et lactique) et le Pélardon parfumé et rustique (qu'une légende recommande contre la jaunisse). Dernière spécialité, typiquement lyonnaise celle-là : la Cervelle de canut. Expression barbare pour désigner un mets bien classique, puisqu'il s'agit de fromage frais battu et aromatisé ce « Claqueret » doit, dit-on, être mâle, c'est-à-dire pas trop mou, mais il faut le battre « comme si c'était sa femme », disent les Lyonnais. Voici la recette de cette préparation rituelle du mâchon, telle que la propose Renée Richard, aux Halles de la Part-Dieu :

Cervelle de canut

4 petits fromages de chèvre frais écrasés à la fourchette (pour 4 à 6 personnes), additionnés de 150 g de crème fraîche, sel et poivre, malaxés jusqu'à consistance homogène, aux- quels on incorpore 2 gousses d'ail pilées et de la ciboulette hachée, puis 3 cuillerées à soupe de vin blanc ; laisser reposer pendant une nuit au frais ; mélanger à nouveau avant de servir, ajoutez deux ou trois tours de moulin à poivre et présenter en même temps des pommes de terre en robe des champs.

Guyenne, Gascogne, Béarn et Pays basque

Le fromage bordelais par excellence, a dit un pince-sans-rire, est la boule d'Édam étuvé, que l'on sert traditionnellement en petits copeaux pour accom- pagner les dégustations de grands crus.

On tentera néanmoins de dénicher le Chasteau (au lait de vache) ou le Poustagnac (au lait de brebis). L'Amou (de brebis), une pâte pressée non cuite, se trouve aux confins des Landes et du Gers : s'il n'est pas trop

Les Bordelais amateurs de fromage ont à leur disposition trois adresses de choix :

Jean d'Alos
4, rue Montesquieu
33000 Bordeaux

Pierre Viaut
57, place des Capucins
33000 Bordeaux

Antonin
38, rue Fondaudège
33000 Bordeaux

À Hasparren, dans les Pyrénées-Atlantiques, deux adresses : l'abbaye Notre-Dame-du-Belloc, près d'Urt, qui fabrique un fromage monastérien bien goûteux, et la Coopérative fro- magère Berria, à Macaye, spéciali- sée dans le « brebis basque ».

« boucané », c'est une jolie expérience avec un rosé du Béarn. Chez les Basques et les Béarnais, justement, ce sont les fromages de brebis qui prédo- minent largement (parfois mêlés de lait de vache). L'Ardi-Gasna de Haute-Navarre, à pâte ferme et souple, devient piquant avec l'âge : très croûteux et cas- sant, il intervient aussi dans la cuisine, tout comme l'Arnéguy. L'Esbareich de Bigorre, lui aussi à pâte pressée non cuite, possède davantage de bouquet et plus de finesse : avec un Madiran, ce fromage de fabri- cation « cabanière » est une belle découverte, qui consolera les Parisiens amateurs de fromages de brebis, souvent réduits au seul Etorki... Quant au Laruns, de la même famille, au parfum légèrement fumé, il peut être soit doux et noiseté, soit horriblement piquant.

Dans le Languedoc toulousain, les fromages de brebis réputés sont encore ceux de l'époque cathare : Ascou, Luzenac et Sorgeat, Orlu et Mérens sont les crus les plus appréciés. Le fromage des Orrys (au lait de vache), dans le comté de Foix, n'est pas sans rappeler le Fontina, avec une saveur assez prononcée. Le Cierp (brebis) reste de consommation locale, tandis que le « Pyrénées » (vache ou brebis) est devenu industriel, d'où l'introduction de l'appellation d'origine pour protéger le « vrai » Ossau-Iraty au pur lait de brebis.

De l'Abondance au Vercorin, en passant par les Crabious du Languedoc (chèvre), les Gadins bourguignons (vache) ou le Pérail rouerguat (brebis), sans oublier tous les grands classiques et des spécialités maison, affinées à l'huile d'olive ou aux

Les fromages de Bethmale en cave.

fines herbes, cette halte fromagère convaincrait les plus réfractaires.

De même que dans les Causses, un excellent Bleu contente les amateurs de pâtes persillées, on trouve dans le Quercy un Bleu sapide à l'odeur un peu forte (notamment à Figeac ou Gourdon) qui demande un vin séveux comme le Cahors. Cabécous, Cahors, Livernon et Picadous représentent bien la famille des Chèvres, ainsi que le Cajassou (de brebis), le Cubjac et le Thiviers (de vache). Citons aussi le Rocamadour : petit galet plat (de brebis ou de chèvre, mais aussi de plus en plus souvent de vache), il peut devenir « suffocant » s'il est affiné au marc. Vieux et durci, certains amateurs le sucent avec gourmandise comme un « bonbon suave et corsé ».

À Toulouse, un fromager affineur du nom de Xavier Bourgon, 6, place Victor-Hugo, 31000 Toulouse, réunit les suffrages des connaisseurs : dans ses trois caves, il amène au stade optimal de dégustation plus de dix mille fromages de 150 variétés au lait cru, provenant de vaches qui ont mangé de l'herbe plutôt que du foin et faits « à la poussée de l'herbe », « à la fleur » ou « au regain ».

Languedoc-Roussillon, Provence et Côte d'Azur

Le célèbre Picodon de la Drôme, spécialité de Dieulefit, un pur chèvre au goût très particulier, délicieux avec un Gigondas, fait un peu oublier les modestes Pélardons et autres Cajassous qui peuvent se montrer tout à fait délectables quand ils sont de bonne fabrication locale. Le Roussillon passe presque inaperçu sur la carte fromagère de la France, mais la Provence se rattrape quelque peu.

Le fameux Banon de Forcalquier suscitait déjà en 1935 ce commentaire convaincu d'un médecin gastronome dans la revue *Grandgousier* : « Fromageon de chèvre mis à macérer en pot de grès recouvert d'eau-de-vie, assaisonné de gros grains de poivre, clous de girofle, thym et laurier. Une fois la croûte enlevée, cela donne un fromage à pulpe ferme et fine, véritable régal qui vaut bien la peine de friser la fièvre de Malte... »

Aujourd'hui, on trouve surtout le Banon à la sarriette ou enveloppé de feuilles de châtaignier et ficelé de raphia, pâte fraîche agréablement aromatisée. Le « Pèbre d'ail » (poivre d'âne) à la sarriette est subtilement parfumé, mais le simple Banon nature avec un rosé

La fabrication des Cabécous.

Pour clore cet itinéraire au pays du soleil, quelques haltes recommandées :

Édouard Ceneri
La Ferme savoyarde
22, rue Meynadier
06400 Cannes

Ange Paperon
13, rue Assalit
06100 Nice

Gérard Paul
9, rue des Marseillais
13100 Aix-en-Provence

Banon au poivre
ou en feuille
de châtaignier.

du mont Ventoux pour clore un repas de poissons grillés et de légumes d'été : quel délice !

La Tomme d'Annot est un disque plat (chèvre ou brebis) à croûte naturelle brossée, que l'on apprécie à Villars-sur-Var.

Autre grande spécialité provençale : la Brousse (du Rove ou de la Vésubie), à savourer bien fraîche et fouettée, avec du sucre, du marc ou de l'eau-de-fleur d'oranger.

Le Cachat est nettement plus goûtu : c'est une Tomme du Ventoux assez salée. À ne pas confondre toutefois avec le fromage fort du mont Ventoux : mélange détonnant de Cachat, de poivre et de sel, mis à macérer avec du marc, que les amateurs apprécient avec des oignons crus et du Châteauneuf-du-pape.

Au terme de ce tour de France un peu précipité, entracte avec l'humour insolite de Pierre Desproges qui, dans sa chronique mensuelle de *Cuisine et Vins de France*, s'indigne (septembre 1985) contre la célébrissime fable du Corbeau et du Renard :

« Associer sciemment l'idée trois cent cinquante fois grandiose de nos fromages à l'imagerie dégradante des deux bestiaux les plus nuisibles de nos clairières, n'est-ce point la preuve flagrante des intentions subversives antinationales de La Fontaine ?

« A qui ferez-vous croire, monsieur de La Fontaine, qu'un oiseau de malheur aille risquer sa vie dans les garde-manger pour y piller des coulants trop mous pour se tenir en son bec ? Et qu'un renard charognard puisse tenter de séduire un corbeau pour s'emparer d'un Camembert, dont la moelleuse onctuosité normande ne saurait flatter le palais vulgaire de ce chien sans maître ? »

Effectivement, la question est posée...

Peut-être, avant d'en trouver la réponse, une halte plus gastronomique s'impose-t-elle. Pour les gourmands cordons-bleus voici la **tarte de Chèvre aux fines herbes**.

Ingrédients :
300 g de pâte brisée, 250 g de Bûche de Chèvre mi-frais (à la coupe), 150 g de Saint-Florentin frais très bien égoutté, 60 g de beurre, 3 jaunes d'œufs, farine, sel, poivre blanc au moulin, romarin et thym.

Abaisser la pâte sur 3 mm d'épaisseur et en garnir un moule à tarte. Réserver au frais. Pendant ce temps, mélanger au mixer dans un grand bol les deux fromages, le beurre et les jaunes d'œufs ; saler et poivrer ; ajouter 2 cuillerées à soupe de farine, bien mélanger et incorporer finalement cinq ou six bonnes pincées de romarin et de thym finement émiettés. Faire cuire la croûte à blanc pendant 10 min. La garnir avec la préparation au fromage et remettre au four à bonne chaleur pendant 25 min environ. Parsemer encore de thym ou de romarin (ou bien d'origan) quelques minutes avant de servir en entrée chaude.

Mais si vous préférez « picorer » quelques amuse-gueules plus rapidement préparés, voici d'autres suggestions :

• lamelles de Mimolette et de concombre sur rondelles de pain de mie beurrées, avec pincée de paprika ;
• fromage fondu tartiné sur crackers au sésame, avec des œufs de lump noirs ou rouges ;
• « copeaux » d'Ossau-Iraty sur de fines tranches de pain de seigle tartinées de beurre de persil ;
• rondelles de Bondon et lamelles de pommes reinettes sur des croûtons de baguette fraîche juste toastés ;
• Chèvre frais tartiné sur des triangles de pain de mie, avec une touche de marmelade d'orange ou de pamplemousse ;
• Bleu de Bresse malaxé avec du beurre tartiné sur des rectangles de pain bis, avec raisins secs et noix concassées ;
• Tomme sèche finement râpée ou émiettée sur des crackers recouverts d'une mince couche de mayonnaise bien ferme ;
• miettes de Morbier sur du pain de campagne taillé finement, tartiné de pâté de foie de volaille, persil haché ;
• lamelles de Reblochon et très fins lardons grillés sur des tranches de pain au son légèrement beurrées.

FROMAGES D'AILLEURS D'AUTRES SAVEURS

« ... un étonnant Schabzieger suisse séché et aromatisé à la trigonelle des prés, pour divertir ses tagliatelle... »

L'Express, enquête 1984.

Loin de nous l'idée de passer en revue tous les fromages du monde entier, sans oublier le Dorogobuzhsky soviétique (piquant, odorant et tartinable), le Västerbottenost de Bothnie occidentale, affiné un an, le Salamura turc ou même le Jochberg tyrolien...

Pourtant, après avoir présenté le plateau des fromages français le plus honorable qui soit, il serait injuste de passer sous silence les productions fromagères les plus marquantes que possèdent les autres pays.

Afrique

Sur ce continent peu propice à l'industrie laitière, seule l'Afrique du Nord possède quelques fromages locaux. On notera pour l'anecdote le Takammart algérien (chèvre) séché au soleil et conservé dans une outre jusqu'à durcissement (il servait jadis de monnaie). L'Aoules algérien dur et friable sert de condiment en cuisine. Le Numidia tunisien est une pâte persillée et le Jbana marocain se mange frais ou séché.

Allemagne

Grands consommateurs de fromages, les Allemands ne produisent pourtant pas de grandes spécialités de renom. Les deux grandes familles de fromages d'outre-Rhin sont soit des pâtes fraîches douces et lactiques, sans débouché extérieur, soit des pâtes molles généralement fortes et piquantes également peu exportées. Deux exceptions : le Bleu de Bavière persillé demi-dur à saveur relevée (à servir au naturel, dans des salades, des feuilletés, en casse-croûte sur du pain noir beurré) et le Tilsiter à pâte pressée ivoire percée de petits trous, assez fruité, parfois aromatisé au cumin. Le Bergkäse de l'Allgau est un genre de Gruyère gras à pâte dorée de goût assez affirmé. Le Limburger est une pâte molle au goût puissant, de même que le Weisslackerkäse (petit cylindre fort et piquant à déguster avec de la bière), les Handkäse, Stangenkäse et Mainzer Käse, également épicés et souvent aromatisés aux herbes. Les Allemands consomment toutes sortes de fromages fondus à tartiner diversement condimentés (jambon, goût fumé, poivre, etc.). Enfin le Quark, fromage frais plus ou moins gras, est un aliment de base en Allemagne (5 kilos par personne et par an) que l'on consomme avec des fruits, des fines herbes, de l'oignon, des crevettes, du jambon, etc.

Une adresse à Munich :
Aloys Dallmayr, 2 Dienerstrasse

Amérique latine

La technique fromagère était inconnue dans ces contrées avant l'arrivée des Européens : les fromages sont donc des imitations de types hollandais ou italiens généralement. Au Mexique, on trouve de nombreux Quesos poudrés ou aromatisés de piment ; le Catupiri brésilien se mange avec de la marmelade de coings tandis que le Minas également brésilien (vache) se sert frais ou s'utilise affiné en cuisine. Le Cuajada vénézuélien, pâte fraîche au lait de vache, s'enveloppe de feuilles de maïs ou de bananier.

Amérique du Nord : États-Unis et Canada

Quelques fromages « typiquement » américains, d'honorables imitations de types européens et une foule de fromages pasteurisés, homogénéisés, aromatisés et colorés, telle est la situation fromagère outre-Atlantique. Mentionnons toutefois :
• le Brick, pâte pressée souple, percée de petits trous, au goût affirmé (mi-Cheddar, mi-Limburg) ;
• le Colby, genre Cheddar en

INTERLUDE : LE CREAM-CHEESE CAKE

Préparer une pâte brisée pour en garnir un moule à tarte. Mélanger par ailleurs avec un batteur 100 g de sucre, le jus d'un citron, 250 g de Cream Cheese (pâte molle à 75 % de M.G.) et une pincée de sel ; ajouter ensuite 2 œufs entiers puis 1 dl de lait froid. Verser le mélange bien battu et homogène dans le moule garni (à bords hauts).
Faire cuire 45 min à 210 C°. Dorer avec un œuf battu dans un peu de sucre et remettre au four pour 2 min. Décorer le dessus avec des tranches de fruits (kiwis, ananas, madarines) ou le napper de coulis de fruits rouges.

• le Cottage Cheese, fromage frais de très grande consommation de texture très variable ;
• le Philadelphia, fromage enrichi à pâte molle et granuleuse grand favori des Américains (en sandwich avec de la confiture) ;
• le Pineapple, sorte de Cheddar en forme d'ananas, à saveur assez relevée ;
• le Creole, pâte fraîche populaire en Louisiane ;
• le Vermont, très bon Cheddar américain, parfois aromatisé à la sauge ou au cumin ;
• le Virginia Farm Gouda, fermier au lait cru.

En revanche, les Américains sont fanatiques de fromages européens, surtout français et italiens (les Chèvres et les Bleus au premier rang, ainsi que les pâtes molles enrichies).

Deux adresses à New York, dans la Seconde Avenue, au n° 1205, l'Ideal Cheese Shop, et au n° 1546, Paprika Weiss.

Au Canada, outre l'Oka doux et crémeux, le Lemoine genre Port-Salut et le Maigrelet à pâte mi-molle, il existe surtout une production d'excellents Cheddars.

plus granuleux, doux, de couleur orangée ;
• le Liederkrantz, pâte molle à croûte lavée inventée en 1892, grande production de l'usine de Vanwert qui lança la souscription nécessaire à la reconstruction de la statue de Marie Harel en Normandie après la guerre ;

Asie

A part le Chura tibétain au lait de yak en forme de petite boule séchée, le Dacca indien fumé ou le Karut d'Asie centrale fait de petit-lait bouilli et durci, aucune production fromagère notable. Les Japonais fabriquent aujourd'hui des imitations européennes : seul le fromage de soja est authentique !

Belgique

La réputation fromagère de ce pays tend à passer inaperçue compte tenu de ses illustres voisins, mais plusieurs de ses productions au lait de vache sont d'une haute qualité.

Le Hervé, pâte molle à croûte lavée fameuse depuis le milieu du XVIᵉ siècle, possède une saveur affirmée à épicée : sa croûte rose et son odeur typée plaisent aux amateurs de fromages forts (à déguster avec de la bière d'Orval, du café noir ou du Porto) ; les plus gros de ces fromages sont les Remoudous, affinés 4 mois, à saveur de terroir très relevée et à l'odeur envahissante (meilleure origine : Battice, où siège une Confrérie du Remoudou de grande renommée).

Autres spécialités belges : le Brusselsekaas, pâte molle à croûte lavée, assez forte et aromatique ; les Boulettes de Namur, de Charleroi ou de Romedenne, qui rappellent leurs homologues françaises d'Avesnes ou de Cambrai ; divers Trappistes de la famille du Saint-Paulin dont le Maredsous ; enfin la Macquée, fromage frais vendu en forme de pain ou en sachets de mousseline (indispensable pour confectionner une délicieuse tarte riche en beurre).

Adresses à noter à Bruxelles :

Les fabuleux rayons fromages des trois magasins Rob.
28, bd de la Woluwe,
1150 Bruxelles

1131, chaussée de Waterloo,
1180 Ucles

79, chaussée d'Ixelles,
1050 Bruxelles

Franck Rastelli
Langhendries,
41, rue de la Fourche,
1000 Bruxelles

De Roover
87, chaussée d'Ixelles,
1050 Bruxelles

Espagne

Sa production est caractérisée par la prédominance des fromages au lait de brebis, avec des spécialités délectables mais souvent difficiles à se procurer. Le Manchego, l'un des plus connus, est de forme cylindrique : pâte dure et blanchâtre percée de petits trous et couverte d'une croûte jaune. Il est affiné 3 semaines, 13 semaines, plus de 3 mois ou 1 an : gras et agréable au goût, il peut se râper et se fait parfois frire à l'huile en petits cubes. Le Cabrales est un Bleu à l'arôme puissant, affiné 6 mois. L'Idiazabal au goût fumé ressemble aux fromages basques. Le Villalon est une pâte molle à consommer fraîche. Le Roncal à pâte dure (lait de vache), bon à râper, est souvent piquant et odorant. Le Mahon de Minorque (vache et brebis), doux et crémeux, devient dur et foncé avec l'âge. Le Pedroches se conserve dans l'huile d'olive.

Europe de l'Est

Les influences gréco-balkaniques ont déterminé des spécialités typiques. Le Brynza bulgare (avec ses cousins le Brinza roumain et le Bryndza hongrois ou polonais), au lait de brebis ou mélangé, est soit une pâte fraîche et malléable, soit un fromage sec et granuleux, parfois fumé ; il intervient largement en cuisine. Le Katshkawalj (Kackavalj ou Kaskaval selon que l'on se trouve en Bulgarie, en Yougoslavie ou en Hongrie) est typiquement balkanique et remonte à l'époque romaine ; c'est une pâte « filée » voisine du Caciocavallo italien, au lait de brebis parfois mélangé de vache, de saveur douce à forte selon l'affinage et lui aussi très employé en cuisine. Le Liptoi hongrois, pâte fraîche aromatisée au paprika, au cumin ou à l'oignon, est aussi traditionnel que le Twarog polonais, très employé en pâtisserie.

ARRÊT BUFFET, AVEC LES BEURRECKS

« Envelopper des morceaux de Katschkawalj taillés en forme de cigares dans de minces feuilles de pâte à nouilles et les faire frire à l'huile », lisait-on dans la revue *Le Pot-au-feu* du 1er janvier 1900. Procédé toujours valable pour réaliser ces beignets au fromage de la cuisine balkanique. On peut aussi utiliser une béchamel très épaisse additionnée de petits dés de Gruyère : le mélange est façonné en quenelles qui sont enroulées dans de la pâte à nouilles ou du feuilletage ; faire frire 10 min dans de l'huile très chaude.

Grande-Bretagne

Climat idéal et cheptel diversifié : tout pour avoir de grands fromages. C'est en effet le cas. Le label « Farmhouse English Cheese » signale les fromages de fabrication traditionnelle. Commençons avec le Caerphilly gallois au lait de vache (pâte pressée douce et souple), que l'on déguste émietté sur du pain, arrosé de quelques gouttes de vinaigre et passé sous le gril. Le Cheddar (pâte demi-dure, granuleuse, blanche à jaune) est un grand classique dont les imitations ont inondé le monde : le « vrai » possède une délicate saveur de noisette, mais le Mild (affiné 3 à 5 mois) est plus doux que le Mature (jusqu'à 9 mois). Aussi indispensable sur un plateau de dégustation que dans la cuisine. Le Cheshire au goût légèrement acidulé est le doyen des fromages anglais : ferme, gras et parfumé, il possède une saveur inimitable due au lait des vaches qui broutent dans les marais salants. Le Blue Cheshire veiné de bleu est aussi savoureux que le rouge orangé (teinte au rocou) : une tradition locale conseille de le déguster avec des biscuits au chocolat noir...

À noter que l'on appelle en France « Chester » des fromages du type Cheshire ou Cheddar, celui-ci ayant donné lieu à un mode de fabrication particulier : la cheddarisation.

Le Derby est de la même famille ; celui à la sauge, marbré de vert vif, est une spécialité de Noël. Le Dunlop écossais au lait de vache remonte au XVIIe siècle : pâte lisse, blanc crème, à saveur douce un peu acidulée. Le Lancashire fermier doux et noiseté est devenu une grande rareté, mais la version laitière est très utilisée en cuisine et le Lancashire à la sauge est très agréable. Le Stilton, né vers 1730, est tenu par beaucoup comme le premier fromage anglais : pâte molle au lait de vache enrichi, à moisissures internes, affinée 6 mois en cave humide. Cette haute fourme qui peut peser jusqu'à 5 kilos pos-

ENTRACTE AVEC UN « MORCEAU DE CHOIX »

Cette préparation typiquement anglaise — qui porte le nom de Welsh Rarebit (morceau de choix gallois) déformé en Welsh Rabbit (lapin gallois) — exige des ingrédients tout à fait spécifiques : faire fondre dans un poêlon 200 g de Cheshire râpé ou émietté avec 4 cuillerées à soupe de bière anglaise (pale ale), 1 cuillerée de Worcestershire sauce, une petite cuillerée de moutarde anglaise et une pincée de Cayenne ; remuer jusqu'à ébullition et faire par ailleurs dorer à la poêle (dans de la graisse de rognon de veau si possible) 4 belles tranches de pain de mie blanc ; verser la préparation au fromage fondue sur les toasts. Passer sous le gril et servir brûlant. Accompagner avec de l'ale anglaise.

sède une pâte ferme uniformément teintée de bleu-vert, une odeur pénétrante et une saveur bien affirmée : on l'apprécie avec du Porto ou du Xérès (parfois coulé dans la pâte creusée de sondes), des crackers, des noix fraîches et du raisin ; il existe aussi un Stilton « blanc », vendu jeune.

Le Wensleydale, petit frère du Stilton, est aussi un Bleu, mais que l'on rencontre de plus en plus non veiné : selon la coutume on le sert en dessert avec de la tourte aux pommes ou un cake aux fruits et aux épices.

Le Gloucester à pâte pressée jaune clair, lisse, cireuse et douce, est parfois affiné un an et devient moelleux et plus fort (double Gloucester) ; le Leicester, teinté de rouge, un peu granuleux et acidulé, est excellent en cuisine ; le Giggins irlandais non pasteurisé possède une saveur très originale, de même que le Llangoffen de Jersey, riche, doux et crémeux. Signalons enfin le Cottage Cheese, fromage frais granuleux et lactique, qui se prête à tous les arômes et tous les apprêts culinaires, et le Costwold d'invention récente : un Gloucester double relevé d'oignon et de ciboulette.

Où acheter ses fromages à Londres ?

Outre les superbes rayons alimentation des fameux Harrod's (Knightsbridge, approvisionné en particulier par le Français R. Barthelemy) et Fortnum and Masson (181 Piccadilly), il faut faire une halte chez Paxton and Whitfield (93 Jermyn Str.) : fournisseurs depuis la fin du XVIIᵉ siècle des plus grandes familles de la capitale.

Il convient d'y acheter le Stilton vendu en petit pots de grès cachetés, ainsi que le Cheddar Cricket Malherbie, un nec plus ultra de la fromagerie britannique.

Autres bonnes adresses : Roche (14 Old Brompton Str.) et John Cavaciutti (23 South End Str., Hampstead).

Grèce

Sur cette terre antique promise à l'olivier et aux brebis, le fromage est un aliment de base aux nombreux emplois culinaires qui place la Grèce parmi les trois premiers consommateurs de fromages du monde avec la France et l'Islande. Le plus connu est la Feta, pâte molle à consommer fraîche : cubes blancs et fermes nageant dans du petit-lait, que l'on coupe en tranches pour agrémenter des salades ou farcir des légumes. Le Graviera est la version grecque du Gruyère (celui de Crète au lait de brebis est très recherché). Le Kefalotiri de texture un peu huileuse (chèvre ou brebis) est dur et piquant (condiment culinaire). Le Kasseri (brebis également), plus tendre, évoque le Provolone italien ; le Kopanisti est un Bleu assez relevé et le Mizithra d'Athènes se déguste frais ou intervient en cuisine.

Italie

Le plateau des fromages italiens offre une étonnante diversité de formes, de saveurs et de textures. Ceux au lait de vache se rencontrent surtout en Lombardie, dans le Piémont et la vallée du Pô, tandis que ceux de brebis deviennent prédominants quand on descend vers le Sud. L'Asiago (de vache, à pâte pressée non cuite), souple et aromatique, est le fromage vénitien par excellence (vieux, il devient piquant). Le Bel Paese doux et moelleux fut introduit en France en 1927. Le Caciocavallo (pâte filée, souvent fumée) possède la forme typique d'une gourde étranglée à une extrémité : saveur délicate et texture blanche et compacte. Le Fontina, originaire de l'Aoste (pâte cuite au lait de vache entier non pasteurisé), est un fromage fruité, à choisir de mai à septembre (indispensable pour la fondue piémontaise agrémentée de truffes blanches). Le Gorgonzola, un bleu crémeux et riche, a conquis depuis des siècles une réputation internationale parmi les gastronomes : onctueux mais relevé de goût, il constitue un dessert de choix (parfois pour farcir des poires ou préparer une sauce). Le Mascarpone, velouté, crémeux et très gras, se sert souvent avec des fruits frais ou confits, du sucre, de la cannelle ou du cacao en poudre, voire arrosé d'une liqueur. Succombez aussi à la gourmandise de la fameuse Torta où alternent couches de Mascarpone et de Gorgonzola. La Mozzarella au lait de bufflonne est le modèle des pâtes filées (caillé malaxé à chaud jusqu'à consistance élastique et moulé à la main en petites boules) : blanche et compacte, déli-

cieusement aromatique (en salade avec des tomates et du basilic, de l'huile d'olive et une pointe de poivre par exemple). Elle est indispensable pour une authentique pizza napolitaine.

Connu dans le monde entier (le plus souvent sous forme de sachets de poudre), le Parmesan porte, pour être « vrai », le nom de Parmigiano reggiano : grosse meule de 20 à 40 kilos dont la croûte noirâtre (enduite de terre d'ombre broyée et d'huile) recouvre une pâte dure, friable et cassante, jaune paille, fine et granuleuse, avec une saveur fruitée, parfois piquante, qui impose longuement son arôme en bouche. Il joue un rôle majeur en cuisine, mais cette pâte cuite se déguste aussi en

UN SAVOUREUX SANDWICH : LA MOZZARELLA « IN CARROZZA » la « Mozzarella en voiture »

Écroûter 8 tranches de pain blanc à mie serrée et les tailler en rectangles réguliers ; découper 160 g de Mozzarella en 4 tranches assez épaisses. Constituer des sandwiches en appuyant légèrement pour bien les « coller ». Les passer dans de l'œuf battu, laisser absorber puis les fariner. Les faire frire dans de l'huile bouillante (10 min environ). Servir brûlant avec un vin rosé ou rouge, léger et frais.

fin de repas, avec par exemple un Lambrusco bien charpenté. Affiné en cave fraîche, il se conserve « indéfiniment », mais on le trouve *giovane* (1 an), *vecchio* (2 ans), *stravecchio* (3 ans) et *stravecchione* (4 ans). Les spécialistes le choisissent « au son » en frappant la meule avec un petit marteau. La famille du Pecorino (au lait de brebis) comprend le Pecorino romano (pâte cuite affinée 8 mois, assez piquant et utilisé en cuisine), le Pecorino siciliano ou sardo, plus gras, mais lui aussi de goût soutenu. Le Provolone (pâte pressée filée) est doux ou piquant selon l'affinage : il se présente sous les formes les plus diverses (poire, melon, por-celet, saucisson, personnage), mais le Gigante (géant) peut peser jusqu'à 90 kilos. La Ricotta (vache ou brebis), blanche, douce et finement granuleuse, est une pâte fraîche servie en dessert (parfois arrosée d'alcool), que l'on utilise beaucoup aussi en cuisine et en pâtisserie. Citons encore le Robiola (pâte tendre au lait de vache, doux sous une croûte rougeâtre) et le Taleggio (vache également), souple et un peu plus fruité.

Deux bons fromagers à Milan :

la Casa del Formaggio
via Speronari
et la Salumeria Peck
via Spadari.

Moyen-Orient

Chèvres et brebis en grand nombre fournissent des fromages locaux le plus souvent frais, mais qui subissent parfois un affinage spécifique de très ancienne tradition. Le Biza irakien, acidulé, s'aromatise à l'ail, à l'oignon et à la caroube. Le Beyaz peynir turc est voisin du Feta grec, de même que le Jubna arabe. Le Dumyati égyptien (vache) est largement consommé, frais ou affiné et salé. Citons encore le Tulum peyniri turc affiné 4 mois dans une outre avec de l'huile, qui devient sec, fort et piquant.

Pays-Bas

Hollande et fromage sont deux notions inséparables, et les produits laitiers néerlandais occupent dans le monde une place prépondérante. Ce sont esentiellement des pâtes pressées non cuites. Le Gouda, jaune doré, doux et onctueux quand il est « jeune » (4 à 6 semaines), devient foncé, cassant et corsé quand il est « vieux » (8 mois ; il est parfois aromatisé au cumin ; le Gouda fermier Boerenkaas, au lait cru, est fabriqué de mai à octobre (choisissez le « fruité de Gouda » pour une

Le marché au fromage à Gouda.

dégustation, affiné 6 mois). Le Édam, de forme sphérique caractéristique, n'est paraffiné de rouge que pour l'exportation : jeune mi-vieux ou vieux (étuvé ou demi-étuvé) il correspond lui aussi à des saveurs plus ou moins douces ou « mordantes ». Le Mimolette, grosse boule orangée, possède un goût noiseté qui se bonifie avec l'âge. Le Kernhem et le Maasdam, moins connus et d'invention plus récente, sont, le premier, doux et onctueux, le second troué comme un Emmental et légèrement fruité.

Exportés ou imités aux quatre coins du monde grâce aux circuits commerciaux établis par les Hollandais depuis des siècles, ces fromages sont connus et consommés sous toutes les latitudes, du petit déjeuner à la dégustation sur un plateau et dans d'innombrables recettes, des plus classiques (salades, croque-monsieur, canapés, tartes, gratins, etc.) aux plus insolites comme le Keshy yena de Curaçao : un Édam entier évidé, rempli d'un mélange de jambon, d'olives, de tomates et d'oignon, avec la pâte coupée en petits dés, cuit au four et servi chaud. Le Hollandais traditionnel préfère quelques tranches de Edam étuvé bien sec et fruité avec un petit verre de genièvre.

Une adresse à Amsterdam :
De Kaashut, Postjesweg 35.

Et une autre à Alkmaar,
le vieux marché traditionnel des fromages de Hollande : Kaan's Kaashandel, Koorstraat.

Portugal

Sa production fromagère assez rustique est dominée par le lait de brebis. Citons surtout l'Azeitao, crémeux et un peu acidulé, l'Evora, granuleux et salé, le Rabaçal, pâte fraîche souvent servie au petit déjeuner, le Serpa au goût relevé, mi-dur, et le Serra à pâte tendre finement trouée, doux et lactique. L'Ilha et le Sao jorge (deux genre Cheddar) ainsi que le Pico, plus tendre et plus relevé, sont des fromages au lait de vache des Açores.

Scandinavie

Les fromages danois (et les imitations danoises de fromages européens) sont très appréciés en Allemagne et chez les Anglo-Saxons : Samsoe, Danbo, Tybo, Elbo et Fynbo (tous à pâtes pressées non cuites de saveur douce) se distinguent surtout par la forme et la présence de quelques trous dans une pâte blanche ou jaune, souple et luisante. Le Molbo et le Maribo ont un goût un plus marqué, tandis que l'Esrom est nettement plus aromatique et odorant. Le Danablu est une pâte persillée, grasse et forte de goût. Le Havarti, enfin, est une sorte de Tilsit assez corsé, parfois aromatisé au cumin.

En Norvège, le Gammelost, brun jaune veiné de bleu, est fort et aromatique (vache ou chèvre), le Gjetost est presque brun et le Pultost possède une saveur très rustique tandis que le Jarlsberg est une sorte de Gouda plutôt doux.

Le plus étonnant des fromages suédois est le Mysost : une pâte pressée brune dont le caillé, lentement chauffé, caramélise et donne au fromage une consistance beurreuse et un goût doucâtre. Le Herrgardsost, genre de Gruyère doux, est affiné jusqu'à 7 mois, et le Kryddost, aromatisé au cumin ou au clou de girofle, se déguste selon la tradition avec les écrevisses au court-bouillon.

Suisse

Le climat, la richesse du lait des alpages et la transmission ancestrale des techniques de fabrication ont contribué à la prééminence des fromages suisses depuis des siècles. L'Emmental est délicatement aromatique avec un léger goût de noix (trous gros comme des cerises), le Gruyère est d'un arôme riche encore plus accentué, tandis que le Tilsit est doux, onctueux et fondant. La Tête de moine du Jura suisse possède une saveur franche et affirmée et les fromages à raclette (Bagnes notamment) suscitent nombre d'imitations. Le Vacherin fribourgeois est délicat et crémeux, tout comme le Vacherin Mont-d'Or, subtilement aromatique, onctueux et raffiné. L'Appenzell et le Fribourg comptent parmi les pâtes cuites les plus fruitées. Enfin le Schabzieger est un fromage corsé et rustique, parfumé aux herbes, et le Sbrinz se taille en « copeaux », les « rebibes », que l'on déguste avec de l'eau-de-vie (il est par ailleurs idéal en cuisine car, cuit, il ne « file » pas).

Cette recette rapportée par A. Gottschalk dans son *Histoire de l'alimentation et de la gastronomie* (1948) nécessite un dernier conseil : « Prendre une spatule à un trou et battre la fondue en faisant des huit, toujours dans le même sens, ou

HISTOIRES DE FONDUE

« Pour faire la fondue, on prend un poêlon en terre dit caquelon. S'il est neuf, la tradition exige qu'on en frotte le fond avec une gousse d'ail. Cela fait, on y met le fromage (150 à 200 g par personne, en mélangeant trois sortes de Gruyère diversement affinés et du Tilsit), coupé en lames : on mouille à hauteur avec du vin blanc sec et un peu acidulé (1 dl par personne, Côte-Neuchateloise, Crépy, Moselle ou Aligoté) et on tourne le tout sur le feu jusqu'à ce que le fromage soit fondu, ce qui demande environ 20 minutes. Alors on donne un tour de moulin à poivre et on apporte sur la table. Pendant cette préparation, les convives ont coupé en cubes de grosseur moyenne quelques tranches de pain de ménage et les ont disposées devant eux ; la fondue est alors déposée sur un réchaud allumé et à ce moment seulement on lui incorpore un bon verre d'excellent kirsch. »

Fabrication du Gruyère dans un chalet suisse. Gravure du XIXe siècle.

battre en travers, gauche-droite, avec une fourchette en bois. »

Mais il y a sans doute autant de fondues différentes que d'amateurs de fondues et P. Androuët en répertorie plus d'une douzaine, dont la forestière (Appenzell, Tilsit, Gruyère et bolets secs, eau-de-vie de prune et vin blanc), celle au Cantal vieux, la fribourgeoise au Vacherin et la gessine (Comté et Bleu de Gex). Il y a même celle au chocolat : quartiers de fruits et cubes de brioche trempés dans une sauce au chocolat maintenue chaude sur un réchaud...

Parmi les bonnes adresses, on peut retenir : à Bulle, la fromagerie Dougoud présente d'insurpassables Gruyères ; à Zurich, Globus (Löwenstrasse), à Neuchâtel, W. Bill (rue du Trésor) et à Morges, J.-P. Dutaux (rue centrale).

Voir également à Kiesen la première fromagerie villageoise d'Emmental, datant de 1815, qui abrite le Musée national de l'industrie laitière, et à Appenzell, une fromagerie de démonstration qui s'est adjointe un restaurant où raclette et fondue s'imposent parmi les spécialités.

—————— Union soviétique ——————

Rares sont les spécialités soviétiques qui parviennent jusqu'en Europe. Mentionnons à titre documentaire le Gornoaltaysky (brebis ou vache), pâte dure à râper, parfois fumée ; le Yerevansky de brebis, demi-dur ; le Kostromskoy doux servi en dessert et le Motal du Caucase.

Il vaut mieux terminer sur une douceur :

LA VATROUCHKA

Modèle de toutes les tartes au fromage blanc, onctueuse et riche, à déguster avec de la vodka ou du champagne.

Abaisser au rouleau 300 g de pâte brisée et en garnir un moule à tarte. Avec les chutes, préparer des bandelettes de pâte et les mettre de côté. Dans une terrine mélanger 300 g de fromage frais gras bien égoutté, 2 jaunes d'œufs, une cuillerée à soupe de farine tamisée, 1 sachet de sucre vanillé, 100 g de fruits confits coupés en petits morceaux et une cuillerée à soupe de rhum. Bien mélanger et verser dans le moule garni. Lisser le dessus. Mettre les bandelettes de pâte en place en formant des croisillons, les souder aux bords. Dorer le tout à l'œuf et faire cuire au four à 230 °C pendant environ 35 min. Laisser refroidir complètement avant de servir. On peut éventuellement supprimer les croisillons de pâte.

LE FROMAGE
DANS TOUS SES ÉTATS

« Le plaisir nécessaire
et non point superflu
De n'aimer rien autant
qu'un aimable fromage... »

Anonyme

———— Le plateau de fromages ————
et les fromages du plateau

« Je hais la terrible promiscuité de la
planche à fromages où tous les arô-
mes se confondent sans parvenir à fra-
terniser, dans une inexprimable
cacophonie. »

Curnonsky

Le Prince des Gastronomes poussa sans doute cette exclamation indignée en voyant apparaître l'un de ces plateaux encombrés d'une dizaine de fromages plus ou moins bien choisis, entamés au petit bonheur, subsistants de la veille ou de l'avant-veille, présentés sans soin ni fraîcheur, comme un réflexe obligatoire, entre le dernier plat salé ou la salade et le dessert.

Les partisans — ils sont nombreux — de la pièce de fromage unique soigneusement choisie, présentée dans le plus parfait dépouillement sur un simple plateau uni, « sans compromission de débris et de rognures », applaudiront à la suggestion de Maurice des Ombiaux : « Chaque fromage doit être servi à part, dans une assiette où il est à l'abri de tout voisinage, avec un couteau à lui seul destiné. » Servir en fin de repas, au lieu d'un assortiment, un Vacherin dans sa boîte, un Coulommiers juste à point ou un Saint-

Nectaire fermier, un Sainte-Maure de provenance choisie ou un Munster parfait, cela suppose néanmoins d'une part un accord bien équilibré avec le menu qui a précédé (ce qui n'est pas toujours possible) et d'autre part, surtout, l'assurance que ce choix satisfera les convives (ce qui est encore plus aléatoire, sauf entre amis et en petit comité).

De toutes les façons, non au plateau d'osier douteux où les fausses feuilles de vigne en plastique servent à présenter quelques rogatons disparates réunis par habitude !

Mais le plateau de fromages reste, quoi qu'il en soit, la solution la plus classique, la plus satisfaisante et la plus commode pour ménager cet intermède si hautement gastronomique entre le plat principal et le dessert, où le fromage, avec le pain et le vin, forme un accord triomphal.

Quel plateau ?

Le bois d'olivier, l'osier, la faïence, la céramique, le verre, tout est possible. Mais simplicité et propreté s'imposent. Évitez les débauches d'étiquettes et les services trop décorés (carte de France, aphorismes enluminés, recettes imprimées, etc.) : l'important, c'est le fromage servi !

Il est surtout essentiel que le plateau soit vaste. Les fromages (cinq ou six en général sur un plateau classique) ne doivent surtout pas se toucher et laisser assez de place entre chaque pour que chacun puisse se servir sans acrobatie.

Une certaine recherche dans la disposition est souhaitable,

en évitant, pour les fromages prélevés sur une grosse meule, les portions trop volumineuses (Cantal, Gruyère) : la forme des fromages eux-mêmes permet de jouer sur les carrés, les palets, les triangles, ceux qui forment un relief (pyramide, boulette) et ceux qui prennent de la place en largeur ou en longueur (pointe de Brie, portion de Morbier). Attention aux parts de Bleu ou de Roquefort fragiles et friables et n'oubliez pas les Boutons-de-culotte, petits Pélardons ou Murolaits pour « meubler » un plateau qui vous paraît un peu vide avec simplement trois beaux fromages.

Les fromages frais et les fromages blancs seront de préférence présentés à part, avec leurs aromates particuliers. Si la tablée est nombreuse, il peut être souhaitable de proposer deux plateaux.

Encore un conseil pratique : évitez les plateaux à rebord, très malcommodes pour se servir, ou bien les plateaux rainurés ou à relief, malaisés à bien nettoyer. Certains conseillent de poser les fromages sur des rondelles de papier dentelle, des feuilles naturelles, etc. Une décoration plus poussée (rames de fougères, feuilles mortes, mousse, etc.) n'est défendable que si elle est d'une sûreté de goût en accord avec les dimensions du plateau lui-même et la sélection des fromages. De toute façon, les fromages sont dépouillés de leur emballage ou de leur boîte, mais en laissant les cendrés, les fromages enveloppés de foin ou garnis de feuilles dans leur présentation naturelle. A chacun ensuite d'écroûter ou de nettoyer individuellement la portion qu'il a prise. D'où la nécessité de prévoir des assiettes à fromage pas trop petites et éventuellement une petite fourchette en plus du couteau.

L'art et la manière

« On coupe de la main droite des petits morceaux de fromage que l'on pousse avec le couteau sur un morceau de pain tenu de la main gauche pour être ainsi portés à la bouche. »

Baronne d'Orval,
Usages mondains, 1902.

Pour le service du fromage proprement dit, il faut prévoir sur le plateau au moins deux couteaux distincts : un pour le Roquefort ou les Bleus, ou bien pour certaines pâtes molles fortes de goût, et l'autre pour les pâtes pressées ou cuites.

C'est traditionnellement au maître de maison qu'il revient d'engager le couteau dans l'un des fromages présentés (celui qui n'est pas entamé) de manière à ne pas embarrasser le convive désireux de se servir, par exemple, d'un Valençay ou d'un Cœur de Bray qu'il ne sait pas comment aborder. Selon leurs formes et leurs présentations, les fromages obéissent à des règles d'entame différentes. Sans oublier que :
• en dessous d'une certaine taille, on ne présente plus certaines portions, sauf en famille ou entre intimes ;
• le fromage ou la portion doit être entamée de manière à progresser dans sa découpe pour répartir équitablement la croûte.

1. Camembert, Coulommiers, Munster, Reblochon, Feuille de Dreux, etc. : disque plat entier ou petite galette, en portions triangulaires (un huitième) à partir du centre ; si le fromage est déjà entamé, on progresse à partir de la coupe, en veillant à ne pas la « décentrer ».

2. Pont-l'Évêque, Carré de l'Est, Rouy, petit Maroilles : un fromage carré ou un pavé se

découpe également en portions pointues vers le centre, et non en progressant d'un côté vers l'autre, par entames transversales.

3. Cœur, Dauphin, Cercle troué, etc. : les fromages d'une forme très particulière s'entament de manière à répartir équitablement la croûte et en prenant comme « pivot » le centre.

4. Saint-Marcellin, Picodon, Pélardon, Crottin : les petits fromages ronds ou cylindriques se coupent simplement en deux moitiés ; un Bouton-de-culotte ou un Murolait ne se partage pas.

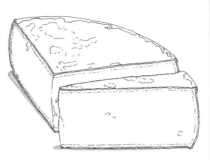

5. Pointe de Brie (on dit aussi en argot « cuisse » ou « côtelette » de Brie) : en languettes parallèles à l'un des bords du triangle ; on ne coupe pas le « nez », mais le maître (ou la maîtresse) de maison peut l'offrir à un invité pour lui faire honneur ; même principe pour le « triangle » de Fourme de Cantal ou de Salers.

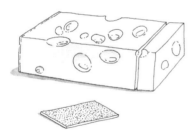

6. Gruyère, Emmental, Fribourg, Comté, Beaufort en portion rectangulaire : couper la croûte d'un côté, puis progresser en débitant le tronçon en tranches régulières plus ou moins fines.

7. Saint-Nectaire, Saint-Paulin, Tommes, etc. : il s'agit souvent d'un demi-fromage ou même d'un quart ou d'un huitième, dans lequel on découpe des tranches plus ou moins épaisses parallèles à l'entame.

8. Valençay et Pouligny : la pyramide s'entame en introduisant le couteau au sommet ; extraire une tranche verticalement et progresser ensuite de part et d'autre.

9. Sainte-Maure, Bondon, etc. : les fromages de forme allongée se découpent en rondelles comme un saucisson ; c'est aussi le cas de la « bûche » de chèvre.

10. Fourmes hautes, Stilton : s'il s'agit d'une tranche dans l'épaisseur, à découper comme un Coulommiers ; si la pièce est entière (ce qui est rare) : retirer d'abord sur le dessus une « calotte » horizontale, découper ensuite des portions verticalement en rayonnant à partir du centre, mais sans descendre jusqu'en bas ; replacer le chapeau en fin de service pour protéger l'entame, en veillant à ce que celle-ci reste le plus possible horizontale.

11. Roquefort, Bleu ou Fourme en gros quartier : coucher la portion sur un flanc et progresser à partir d'un bord, en formant un éventail depuis le milieu de la tranche.

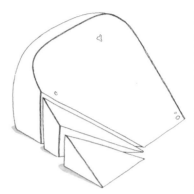

12. Fromages de Hollande en portion : celle-ci étant à plat, progresser d'un bord vers l'autre en portions triangulaires.

13. Charolais, Bleu de Bresse, Pourly, Gaperon : en portions verticales, en rayonnant à partir du centre.

——— Six trucs et un conseil ———

• Pour couper du Gruyère en lamelles très minces (en cuisine) : tremper un couteau à lame très fine dans de l'eau brûlante.
• Pour empêcher un fromage

de « coller » sur une râpe, surtout s'il est un peu tendre : enduire la râpe d'une couche imperceptible d'huile d'amandes douces (ou d'arachide).

• Pour atténuer une odeur de fromage un peu forte dans une boîte : y mettre deux ou trois branchettes de thym ou de fenouil.

• Pour nettoyer sans problème un caquelon à fondue lorsque le fromage est collé : placer le caquelon tel quel dans le four, réglé sur bonne chaleur, et attendre que le fromage durcisse, se craquèle et se décolle d'un coup. Surtout ne pas le laisser tremper dans de l'eau chaude.

• N'oubliez pas de retirer la paille du Sainte-Maure pour le service : elle gêne la découpe et brise la « rondelle »...

Une règle de savoir-vivre (?) prétend qu'on ne doit pas proposer deux fois le plateau de fromages et qu'il est encore plus incorrect de se servir deux fois de fromage. Entre gourmets, toutefois, il est recommandé de laisser le plateau de fromages au centre de la table à loisir, pour que chacun se serve une première fois d'un fromage, le fasse suivre d'un second, voire d'un troisième, en fonction de sa propre gradation gustative, de son appétit, de sa gourmandise.

— La parole est aux saisons —

« Tel un Brie fait à cœur, l'amateur de fromages est lui aussi le produit d'un long et délicat affinage. »

James de Coquet

Il existe, dit-on, assez de fromages en France pour en déguster un différent chaque jour. Aucune difficulté, par conséquent, pour composer ses plateaux en variant les plaisirs, surtout si l'on complète les produits hexagonaux de quelques spécialités étrangères. Les amateurs de framboises ne peuvent satisfaire leur passion que de la mi-juin à octobre et les fanatiques de l'asperge attendent le mois d'avril avec impatience pour être sevrés dès la fin juin...

Heureux les gourmands de fromages qui bénéficient d'un éventail constamment renouvelé au fil des mois et des saisons, avec des grandes constantes, des apparitions fugitives (ô Vacherin), ceux qu'on voit réapparaître avec plaisir (petits Chèvres de l'été) et ceux qui connaissent leur grand moment de plénitude.

Si l'on dresse la liste des principaux fromages disponibles **toute l'année,** on dispose déjà d'un plateau bien fourni : Chaource, Neufchâtel et Feuille de Dreux, Brillat-Savarin, Excelsior et Magnum, Rigottes, Saint-Marcellin et Olivets, Curé, Reblochon, Saint-Paulin et tommes, Murol, Pyrénées et Emmental français, Édam, Gouda et Mimolette français, ainsi que tous les Bleus, sans oublier les fromages frais, les fondus et les fromages de fabrication industrielle.

À partir de la fin du printemps et jusqu'à mi-novembre, on ajoute : les Chèvres (Crottin, Picodon, Pouligny, Selles-sur-Cher, Sainte-Maure, Valençay, Chabis, Cabécous, Pélardons, etc.).

De mai à décembre, il faut compter avec le Roquefort.

Pendant tout l'été et en automne, n'oubliez surtout pas : le Cantal, le Laguiole et le Salers, le Saint-Nectaire, les Fourmes d'Ambert et de Montbrison.

En été et jusqu'au cœur de l'hiver, c'est aussi l'époque du Camembert, des Bries et des Carrés de l'Est (au lait cru, sinon disponibles toute l'année).

Lorsque l'été s'achève et jusqu'à la fin de l'hiver, le Comté est particulièrement délectable.

En automne tout particulièrement, honneur aux Langres, Époisses et Rollot, Boulettes d'Avesnes et d'autres lieux.

En automne et en hiver, grande saison pour les Pont-l'Évêque et Livarot, Maroilles, Munster et Géromé.

De novembre à janvier, lâchez tout pour le Vacherin.

En hiver, au printemps et jusqu'en été, ayez toujours une belle tranche de Beaufort.

La théorie et la pratique

Sans doute est-il intéressant d'apprendre que la Baguette laonnaise se goûte d'octobre à juin, passionnant de savoir que la Boulette d'Avesnes est au mieux de sa forme de septembre à mai, indispensable de ne pas confondre le Cœur de Bray (bon d'août à avril) et le Cœur de Thiérache (de juillet à avril), nécessaire de recourir, d'avril à novembre, à l'Entraygues et au Lusignan, mais regrettable d'attendre septembre à mars pour les Riceys... Sans doute !

Mais les calendriers des fromages, mois par mois, variété par variété, correspondent rarement à une réalité pratique d'autant moins que les spécialités fromagères évoluent en fonction des techniques et que certaines d'entre elles, jadis artisanales, soit ont disparu, soit sont devenues industrielles et sont disponibles toute l'année, comme le Saint-Marcellin ou la Rigotte. « Ceux qui devaient disparaître du fait de l'industrialisation ont disparu et ne restent actuellement que ceux qui devaient rester », constate R. Barthélémy, qui répertorie actuellement 250 fromages au lait de vache, 70 au lait de chèvre et 10 au lait de brebis.

S'il vous plaît d'avoir un calendrier complet de tous les fromages par mois — de Abondance (novembre à avril) à Void (octobre à mai) —, consultez une encyclopédie gastronomique ou *Le Dictionnaire des fromages* de P. Androuët, maître en la matière. Mais pour le quotidien, de deux choses : l'une ou vous vous y connaissez en fromages et vous savez *a priori* la bonne époque de vos variétés préférées, ou bien vous êtes un néophyte ou un amateur occa-sionnel, et dans ce cas vous prenez conseil auprès de votre fromager, qui, s'il est compétent, doit dépasser son rôle de commerçant pour satisfaire le goût et la curiosité des clients.

Quoi qu'il en soit, l'aide-mémoire suivant peut vous être utile (il s'agit des moments de « meilleure forme »).

D'une façon très générale, il est important de savoir que l'automne est la meilleure saison pour les fromages de toutes les variétés. C'est durant cette saison que l'on peut réaliser les dégustations les plus riches et les mieux échantillonnées.

Janvier	Maroilles, Époisses, Tommes de Savoie, Vacherin, Munster
Février	Beaufort, Cantal, Comté, Livarot, Roquefort
Mars	Brie de Melun, Camembert, Pont-l'Évêque, les Bleus
Avril	Brie de Meaux, Coulommiers
Mai	Tous les Chèvres
Juin	Chèvres et fromages frais
Juillet	Fromages frais, Brousse
Août	Reblochon, Saint-Nectaire, Chèvres
Septembre	Brie de Meaux, Camembert, Chèvres, Saint-Nectaire
Octobre	Époisses, Maroilles, Munster
Novembre	Brie de Meaux, Camembert, Cantal, Roquefort
Décembre	Vacherin, Munster, Géromé

« *Dans un repas en petit comité, et sur-tout dans un déjeuner d'hommes, on met un seul fromage au milieu de la table... Quelquefois on coupe à l'avance des tranches de différents fromages qu'on range ensuite sur une assiette pareille à celle du service.* »

Le Cuisinier des cuisiniers, 1882.

LE TRIANGLE MAGIQUE

« Quand s'achève un repas et qu'arrive le fromage,
Les estomacs rassasiés retrouvent du courage,
Autant qu'en verres ruisselle ce pinard qui ressemble
Au baiser du soleil sur une gorge qui tremble... »

Confrérie du Taste-Fromage

───── Épousailles et accordailles ─────

Qui dit caviar
dit vodka et blinis.
Qui dit crêpe bretonne
dit cidre doux et beurre salé.
Qui dit Camembert
dit baguette et vin rouge.

Si les clichés ont la vie dure, c'est qu'ils possèdent sans doute quelque réalité profonde. Une fois trouvé l'accord parfait, pourquoi le changer ? Mais si telle coutume ancrée dans un code de soi-disant savoir-vivre se révèle une aberration, pourquoi continuer à la respecter ? Au chapitre des vins et des fromages, la gamme des possibles est si vaste que les combinaisons se multiplient à loisir.

Les composantes gustatives d'un fromage vont du fruité des pâtes cuites au fleuri des pâtes fermentées, en passant par des « pointes » plus ou moins vives et des dominantes plus ou moins douces, acides ou crémeuses. Ce langage sensoriel permet de choisir la boisson qui, par association, restera dans le même registre, sec, onctueux, vif, sucré, fleuri, fruité, etc., ou qui, par contraste, apportera le contre-point nécessaire, pour adoucir, relever, atténuer, etc.

Or rien ne permet d'affirmer que l'équation « fromage = vin rouge » est nécessairement la plus satisfaisante.

Avez-vous essayé Crottin de Chavignol et Sancerre ? Mariage léger, frais, tout de finesse avec la pointe d'acidité qui faut. Un Maroilles de quatre mois de cave avec une grande bière brune d'abbaye ? Richesse, plénitude et accord du goût de malt avec la saveur lactique du fromage... Roquefort et Sauternes ? Du grand art ! Puissance de l'accord aromatique Munster et Blanc d'Alsace bien sec ? Encore une belle réussite, soulignée par la touche parfumée du cumin.

La dégustation d'un vin se passe souvent du fromage, bien que les Bourguignons aient « inventé » la gougère comme « éperon à boire » et que les Bordelais « tastent » leurs bonnes bouteilles avec des lamelles de fromage de Hollande. Mais la réciproque relève de la gageure : le fromage va rarement sans le vin, et sans le vin qui lui convient.

« On comprend très bien que les cardinaux d'Avignon répugnaient à retourner à Rome puisqu'ils dégustaient de puissants Châteauneuf-du-Pape, des Hermitages corsés, des Côtes-Rôties comme du velours, en mangeant une tranche de Roquefort ou de Septmoncel mûr à souhait, voire un de ces fromages de chèvre qui vous refont le palais en moins de temps qu'il ne faut pour le dire », écrivit justement Maurice des Ombiaux.

Méfions-nous des oukases et des lois intangibles. Les vins rouges, blancs, rosés sont suffisamment nombreux et variés pour que chacun trouve son accord parfait, sans oublier ces accords marginaux que sont le cidre bouché avec les pâtes molles normandes ou une vieille eau-de-vie avec un fromage dont le niveau de sapidité est particulièrement élevé.

En outre, bien souvent, les tableaux d'accords minutieusement établis par de savants œnologues sont sans grande utilité pratique pour la maîtresse de maison.

Elle apprend par exemple que le Bleu des Causses se marie au Cornas des Côtes-du-Rhône, que le Cœur de Bray demande un Bourgueil de Touraine, que le Maroilles est délectable avec un Saint-Emilion, le Beaufort avec un Chignin de Savoie et le Rouy avec un Morgon du Beaujolais... L'imagine-t-on un instant suivre à la lettre ces précieuses indications ? Si elle constitue son plateau avec les fromages cités, à quelle bouteille va-t-elle donner la préférence ? En outre, peut-elle faire abstraction des plats qui ont été servis avant le fromage ? La théorie prescrit de suivre une progression des saveurs, du plus doux au plus fort : que faire si les convives viennent de faire honneur à une daurade rôtie au four, à un cari de poulet ou à un gigot d'agneau aux flageolets ?

Les indications dans le domaine des fromages et des vins ne peuvent que rester générales et procéder par familles. À moins que l'on veuille célébrer en fin de repas un seul fromage choisi avec soin, que l'on accompagnera d'une bouteille élue avec autant d'attention. À cet égard, la dégustation du Roquefort fait figure de classique. Selon les auteurs, les suggestions proposent du Chambertin (Casanova), du Clos-Vougeot (Curnonsky), du Madiran ou du Cahors (Androuët), du Sauternes, du Châteauneuf-du-Pape ou du Porto. Voici, pour mettre en scène plusieurs fromages de grande classe servis en pièce unique, plusieurs pistes :

• Chaource et Champagne (ou même Maroilles jeune et Champagne);
• Vacherin Mont-d'Or et vin du Jura;
• Brie de Meaux et Mercurey ou Chinon;
• Pouligny-Saint-Pierre et Selles-sur-Cher avec un Pouilly-fuissé, un Chablis ou Quincy. « *O doux cotignac de Bacchus, Fromage, que tu vaux d'écus...* » Marc A. Girard de Saint-Amant

Le Neufchâtel et le Livarot.

Les épousailles
des fromages et des vins

préconisées
par les maîtres froumagiers-sommeliers
de la Confrérie du Taste-Fromage
de France

Pâtes sèches cuites, telles que Gruyère, Beaufort, Emmental, Hollande, etc.	Vins blancs secs et rouges corsés
Pâtes sèches pressées telles que Saint-Paulin, Port-Salut, tommes, Saint-Nectaire, Cantal, trappistes, etc.	Vins tendres, légers, fruités et secs, blancs, rouges ou rosés
Pâtes persillées, Bleus des Causses, du Jura, d'Auvergne, de Bresse, etc.	Vins rouges légers
Pâtes molles à croûte fleurie	Vins rouges ayant du « tonus »
Pâtes molles à croûte lavée	Vins rouges corsés ou vins blancs moelleux
Pâtes fraîches	Vins blancs ou rosés, doux
Fromages fondus	Vins de toutes couleurs secs et légers
Fromages de chèvre	Vins secs et légers, vins du pays des fromages

Pâtes fraîches nature	Vins secs et légers, blancs, servis frais comme le fromage (Fontainebleau, Chèvre frais, Banon frais, demi-sel), avec une certaine acidité Vins rouges et légers de Bourgogne ou de Touraine
aromatisées	Vins rouges légers du Beaujolais ou du Poitou
Pâtes fondues	Vins blancs ou rosés légers et secs, vins de table « honnêtes »
Pâtes molles à croûte fleurie	Vins rosés et fruités ou champagne pour les doubles- et triples-crèmes Côte-Roannaise, Côtes-du-Rhône ou Bourgueil pour les Camemberts, Bries, Coulommiers
Pâtes molles à croûte lavée	Grands crus de la Côte-de-Nuits ou de Saint-Emilion, mais aussi Côtes-du-Rhône ou Châteauneuf-du-Pape

Chèvres	Vin de la même origine que le fromage (Crottin : Sancerre ; Selles-sur-Cher : Quincy ; Pélardons : Côtes-du-Ventoux ; Sainte-Maure : Chinon, etc.)
Pâtes persillées au lait de vache	Graves ou Saint-Emilion ; Corbières-du-Roussillon
Pâtes pressées non cuites	Vins rosés ou rouges légers et fruités pour les pâtes tendres et douces, Beaujolais et Gamay pour les fromages un peu plus bouquetés, Bourgogne léger, Coteaux-du-Lubéron pour les Cantal, Saint-Nectaire, Édam, etc.
Pâtes pressées cuites	Vins blancs fruités, vins rosés secs, voire Madère ou Porto

Quelques exemples précis

(d'après H. Viard, P. Androuët, Curnonsky, Courtine)

Abbaye d'Entrammes - Chinon

Banon - Côtes-du-Ventoux

Beaufort - Crépy

Bleu d'Auvergne - Hermitage

Bleu de Gex - Arbois rouge

Boulette d'Avesnes - Bière brune/Juliénas

Camembert - Pauillac

Cantal - Côtes-Roannaises

Chaource - Chablis

Coulommiers - Pommard

Cœur de Bray - Bourgueil ou Beaujolais

Époisses - Côtes-de-Nuit

Fourme d'Ambert - Banyuls ou Sauternes

Gaperon - Côtes-du-Rhône

Gouda hollandais demi-étuvé - Bière forte

Gruyère suisse - Fendant du Valais

Livarot - Côtes-du-Rhône ou Graves

Niolo - Patrimonio

Pélardons - Corbières rouges

Picodons - Gigondas

Pont-l'Évêque - Pomerol

Reblochon - Apremont ou Crépy

Saint-Nectaire - Chanturgues

Soumaintrain - Gigondas

Tomme de Savoie - Crépy

Vacherin - Côtes-du-Jura

Valençay - Coteaux-du-Loir

——— De janvier à décembre ——— 12 vins, 12 plateaux, 12 menus

Douze suggestions, conçues en fonction des fromages disponibles selon la saison. Ceux-ci, de par l'éventail de leurs saveurs réunies, commandent le choix d'un vin, lequel, par voie de conséquence, peut suggérer un menu. Quant au dessert, si vous décidez de faire porter l'impact sur le plateau de fromages, qu'il soit plutôt « savoureux » et « parfumé » que « riche »...

Janvier
Sous le signe de l'Arbois.

Un vin du Jura blanc, sec, vif et fruité pour cinq fromages de montagne :
- Saint-Nectaire
- Emmental français
- Bleu de Gex
- Banon à la sarriette
- Munster

Ce plateau peut clore un menu composé avec :
- un potage à l'oseille
- des truites meunière ou un poulet sauté aux cèpes
- une salade de pissenlit au lard

Et l'on servira, en dessert :
- une compote à la rhubarbe avec des meringues.

Février
Pour les amateurs de Beaujolais-villages.

Un petit rouge, léger, frais et désaltérant, avec de bonnes pâtes molles, hautes en goût :
- Camembert au lait cru
- Livarot
- Saint-Marcellin affiné
- Gaperon

Le menu précédent devra éviter les plats riches en saveurs fortes. Ce sera par exemple :
- quenelles au gratin

- grillade de bœuf et endives braisées
- salade de haricots verts à la tomate

Et pour finir :
- des crêpes flambées.

Mars
Avec un joli Chinon rouge, souple et tendre.

Ce bon vin au bouquet de violette que chanta Rabelais accompagnera à merveille ces cinq franches saveurs :
- Cantal
- Coulommiers
- Rollot
- Fourme d'Ambert
- Beaufort

Un plateau en bonne harmonie avec un menu régional :
- rillettes de Tours
- tendrons de veau aux petits oignons
- salade de mâche à l'huile de noix

Avant de clore sur :
- des œufs à la neige au caramel.

Avril
Saluons les premiers Chèvres avec un Saumur-Champigny.

Les Chèvres sont à cette époque peu affinés et peuvent composer un plateau original, avec :
- Valencay
- Bleu de Bresse
- Deux petits Crottins de Chavignol mi-frais
- Murol

Et prenez le temps de cuisiner, par exemple :
- un potage au potiron
- un bœuf bourguignon

Avant de terminer par :
• une salade d'oranges au curaçao.

Mai
On vous offre une bouteille de Graves encore jeune.

Profitez-en pour constituer un plateau qui le mettra en valeur en satisfaisant tous les goûts, du plus léger au plus fort.
• Boulette d'Avesnes
• Boursault
• deux ou trois Pélardons
• Édam
• Pithiviers au foin
Et cuisinez un menu de même tonalité, en fonction de la saison :
• velouté à la tomate ou œufs en gelée à l'estragon
• pigeons en casserole aux petits pois
• salade de cresson
Et servez, pour clore ce repas :
• des fraises (éventuellement macérées au vin).

Juin
Généreux et ensoleillé comme le mois de juin, un Châteauneuf-du-Pape vous tente.

N'ayez pas peur de certaines saveurs et de certains accords :
• Époisses
• Sainte-Maure
• Morbier
• Bleu des Causses
• Tomme de Savoie
Mais dans ce cas, restez « légers » pour le reste du menu :
• Radis au beurre frais

• Navarin de mouton printanier
• Salade de mesclun
Quant au dessert, les fruits s'imposent :
• Compote de cerises, pêches flambées, framboises au sucre...

Juillet
Restons sous le signe du soleil, avec un vin des Corbières.

Avec cette bouteille qui peut être bue frappée, composez un plateau en touches contrastées :
• Brie de Melun affiné
• Pont-l'Évêque
• Selles-sur-Cher
• fromage de brebis des Pyrénées
• Comté
Et ne vous embarrassez pas trop de cuisine compliquée :
• sardines grillées
• grande salade composée, riz-poulet.
Pour clore ce repas, commandez une glace ou un sorbet aux parfums panachés.

Août
Honneur à la Provence avec un rosé bien frais.

Jouez sur les pâtes molles et les saveurs douces :
• Cœur de Bray
• Reblochon
• Saint-Florentin
• Mimolette peu affinée
Et restez dans la note, avec un menu qui parle du Midi :
• bouillabaisse
• côtelettes d'agneau grillées
• salade de fenouil
Puis laissez parler la gourmandise avec :

• une île flottante aux pralines roses.

Septembre

Consolez-vous de la rentrée avec une folie : un Corton d'une bonne année...

Avec ce bouquet riche et puissant, offrez-vous une vraie symphonie :
• Maroilles
• Roquefort
• Cheddar
• Montrachet (ou autre Chèvre)

Il faut également que le menu soit « à la hauteur » :
• timbale de fruits de mer ou bouchées à la reine
• lapin à la moutarde et aux pâtes fraîches
• salade de laitue ou de chicorée

Et succombez aux fastes de la pâtisserie :
• tarte Tatin chaude ou mille-feuille.

Octobre

Pour parler encore des vacances, prenez un Bandol.

Avec sa belle couleur rouge foncé, il s'accordera à merveille avec quatre belles saveurs aussi charpentées que lui :
• Tomme fraîche de Cantal
• Langres
• Trappiste de Bricquebec
• Bleu de Sassenage
• Chaource

Pour précéder ce plateau assez « fort », restez en demi-teintes :
• tarte aux champignons
• dorade farcie
• salade d'endives

Et terminez sur une corbeille de fruits.

Novembre

Tout spécialement conçu pour les amateurs de Bourgogne.

Avec un Côte-de-Nuits (plus ou moins prestigieux selon votre bourse), composez un plateau de belle harmonie :
• Pavé d'Auge
• Olivet cendré
• Abbaye d'Entrammes
• Bleu du Quercy
• Saint-Marcellin macéré au marc

Et cuisinez un repas chaleureux :
• omelette aux champignons
• bœuf à la mode
• salade de chicorée frisée

Et pour finir :
• des pommes bonne femme à la confiture.

Décembre

Pour répondre aux souhaits des amateurs de Bordeaux.

Équilibrez cette dégustation de belle tenue avec un Médoc d'un bon millésime (en fonction de vos finances).
• Niolo
• Brie de Meaux
• Curé nantais
• Pyrénées de vache
• Gouda au cumin

Et composez un menu de fête pour tablée nombreuse :
• rouleaux de saumon fumé farcis
• canard aux navets
• salade verte

Pour clore sur une douceur :
• charlotte aux poires.

Le repas
de fromages

Pour les amateurs de fromages francs et déclarés, il y a un moment de haute gastronomie auquel ils font honneur entre amis : le repas de fromages. Plus qu'une simple dégustation, c'est une vraie fête du fromage, qu'il convient cependant de savoir mettre en scène.

En voici une conçue avec faste. Elle est susceptible de se moduler en formules plus simples. À chacun d'y prendre son idée.

• Pour commencer, un « chariot de hors-d'œuvre » servi avec un Banyuls, un Porto ou un vin de Bordeaux assez corsé :
— un trio de pâtes cuites (Beaufort, Comté, Emmental),
— ou bien un panaché Auvergne-Savoie : Cantal, tomme et Reblochon.

• On enchaîne avec un plateau de chèvres :
— soit de la région Poitou-Berry-Orléanais, avec un Sauvignon, un Gamay ou un Chinon,
— soit du Beaujolais et du Lyonnais, avec un Beaujolais,
— soit du Quercy et de Provence, avec un Côtes-du-Rhône.

• Si vous conviez des hôtes réfractaires aux Chèvres, proposez à la place un assortiment de Tommes ou de Trappistes, avec un Reblochon ou un Saint-Nectaire (rosé de Provence).

• Pour le « plat de résistance », ce sont les pâtes molles à croûte fleurie qui s'imposent :
— Camembert, Coulommiers, Brie, Chaource, Bondon,
— ou bien un trio plus original : Pithiviers, Saint-Marcellin et Olivet,
le tout avec un Brouilly ou un Saint-Emilion.

• Il faut maintenant franchir un degré de plus dans la gamme des saveurs : c'est le moment de prédilection
— des Bleus et des Fourmes, du Jura ou d'Auvergne, avec un Graves ou un Cahors, que vous pouvez remplacer avec un Roquefort seul (et un Madiran).

• Il faut clore sur un point d'orgue : un Munster, un Gris de Lille, un Maroilles ou un Pont-l'Évêque au mieux de sa forme, avec un Saint-Estèphe ou un Nuits-Saint-Georges, voire un alcool blanc, un petit verre de genièvre ou de calvados.

D'après ce schéma idéal, une proposition plus accessible :
• Cantal, Mimolette étuvée et Beaufort/Banyuls
• Chèvres variés/Chinon
• Pâtes molles à croûte fleurie/Saint-Emilion
• Bleus et persillés (au lait de vache)/Saint-Emilion
• Maroilles ou Pont-l'Évêque (genièvre ou calvados).

Psychologie et dégustation

« Je vous assure, il y a bien des fro-
mages en Turquie, mais ils ne coulent
pas, ils ne fondent pas, il ne puent
pas, ils n'ont pas d'âme ! »

Michel de Saint-Pierre,
Les Aristocrates.

Soyez l'hôte idéal

J'aime, tu aimes, il (ou elle) aime le fromage. Bref, nous aimons, vous aimez les fromages ! Mais pas de la même façon, et avec des degrés dans la passion.

Vous êtes peut-être vous-même un(e) fanatique inconditionnel(le) du fromage. Vous reconnaissez au goût, les yeux fermés, un Comté d'un Beaufort. Vous savez qu'il est inutile de chercher un Valençay au mois de décembre et vous connaissez par cœur les meilleures origines de Camembert du Calvados. Vous êtes exigeant sur la qualité, mais aussi tolérant et éclectique, et vous ne rougissez pas, parfois, de « craquer » de gourmandise devant une belle part de Saint-André crémeux à souhait ou de Saint-Albray moelleux comme un rêve. Vous êtes capable de faire un détour de plusieurs dizaines de kilomètres pour aller acheter sur place des fromages de chèvre réputés « miraculeux » (au fin fond du Lot, Chèvrerie de Cavalier, Le Boulvé à Montcuq !).

Vous échangez avec d'autres fanatiques des adresses de maîtres affineurs : celui où les fromages de montagne sont insurpassables, celui où les Chèvres sont parfaits, celui où l'on se bouscule pour les grands classiques et celui qui propose des trouvailles plus rares autant que délectables : le Triple-crème Écume de chez J. Carmès, le Fougeru de Mme Delbey, rue du Poteau, ou le Pavin d'Auvergne chez Lillo, l'insurpassable Charolais au lait de chèvre de Marie-Anne Cantin et le Tremblay de chez Genève, une sorte de Coulommiers doux et subtil, pour s'en tenir à Paris. Vous discutez des mérites comparés, à propos du Roquefort, des établissements Coulet, de la marque Papillon ou de la production Constans (celle du maire de Roquefort)... Bravo ! Que saint Uguzon, patron des fromagers, vous garde en ces excellentes dispositions !

Mais tout le monde n'est pas comme vous. À commencer par ceux qui — mais si, ça existe — n'aiment pas le fromage ou en prennent juste une lichette, par habitude, presque sans le regarder. Et puis il y a les convives classiques et sans audace : Brie, Saint-Nectaire et Beaufort. Au-delà, pas d'aventure ! Ceux qui, au contraire, se précipitent sans discernement sur le Boursault triple-crème, le Brindamour corse ou l'Époisses au marc de Bourgogne, le Marbray et la Crème des prés... Ceux qui, aussi, révèlent une complicité de connaisseur et se délectent d'un plateau de chèvres composé avec art. Ceux qui sont plus gourmands que gourmets, et puis les blasés qui prétendent déjà tout connaître (même le Cabrion du Forez ou le Bleu de Thiézac ?).

Autant de convives, autant de goût. Avec un peu de psychologie, d'observation et de mémoire, soyez l'hôte idéal qui comble exactement l'attente de ses amis lorsque paraît le plateau de fromages. Sans oublier même, éventuellement, celui ou celle qui suit un régime sans sel ou pauvre en matière grasse.

Les six cas types qui suivent peuvent sembler caricaturaux. Ils ont surtout valeur d'exemples, pour suggérer des solutions modulables, par analogie, si tel ou tel cas de figure se pose.

1. Les traditionalistes purs et durs s'en tiennent aux valeurs sûres. Pour eux, pas de fantai-

sie, Fondu aux noix, Brie au poivre ou Carré frais au paprika. Pour eux, proposez un plateau « bien français » :

Camembert de Normandie, Crottin de Chavignol, Roquefort, Coulet et Beaufort de la Tarentaise.

C'est aussi la solution qui s'impose pour des convives dont vous ne connaissez pas du tout les goûts. Ne prenez pas de risques. Autre suggestion :

Coulommiers, Reblochon, Valençay, Comté, Bleu de Bresse.

Ou encore, si vous êtes loin de tout fromager-affineur :

Saint-Albray, Bougon, Emmental et Chaumes ou Rouy.

Mais tradition et classicisme ne veulent pas dire forcément banalité, surtout si le régionalisme s'en mêle. Connaissez-vous les attaches terriennes de vos convives ? Profitez-en. Évitez le Maroilles pour le Marseillais ou l'Ardi-Gasna pour le Strasbourgeois.

En revanche, proposez au Normand : Bondon, Pavé d'Auge, Bricquebec et Boursin nature ;

à l'Auvergnat : Bleu de Laqueuille, Salers, Chèvreton et Saint-Nectaire ;

au Provençal : Banon à la sarriette, Bleu de Corse, Tomme et Pélardons.

2. Les néophytes en fromages posent parfois un problème délicat. Issus par exemple de

familles où l'on ne mangeait que très peu de fromages, ils s'aperçoivent tout d'un coup que « le fromage, ça existe ! » Mais attention à la boulimie et au manque de recul : le néophyte n'a pas encore le palais assez exercé et certaines subtilités peuvent lui échapper. Inutile de vous mettre en frais d'un Gournay introuvable, d'un vieux Fribourg de deux ans d'affinage ou d'un Pannes cendré. Initiez-les en douceur à des fromages relativement courants qui vous donneront en outre l'occasion de parler de la petite histoire du fromage :

un Murol et son « trou » (racontez l'anecdote de son origine) + un Brie de Meaux (en évoquant les autres Bries de la famille) + un Pithiviers au foin ou un Dreux à la feuille (pour découvrir les subtilités de l'affinage) + un Saint-Marcellin (sans oublier de rappeler la petite histoire de Louis XI dans le Dauphiné).

3. Les gourmands jamais rassasiés, en matière de fromages ou d'autre chose, sont relativement faciles à satisfaire. S'ils disposent d'un choix suffisamment large et abondant, d'une honnête qualité moyenne sans aller jusqu'à des raffinements d'esthètes, ils y trouveront leur compte. Réservez votre envie de Brie de Meaux fourré aux noix (110 francs le kilo) pour un tête-à-tête entre gourmets et composez un plantureux plateau avec par exemple :

un Brillat-Savarin, du Cantal, de la Mimolette étuvée, un demi-Coulommiers, un Bleu de Bresse et du Pavé d'Auge ou du Vieux Pané, avec en outre une bonne jatte de fromage blanc avec des fines herbes.

D'ailleurs, pour certaines bonnes fourchettes, le fromage

n'est parfois qu'un simple entracte entre la terrine de canard et l'entrecôte à la bordelaise et le baba au rhum et à la crème fraîche. Peut-être trouveront-ils divertissant un plateau de fromages aromatisés :

Banon à l'huile d'olive et aux herbes, Gouda au cumin, Fondu aux noix et Boursin au saumon.

4. Avec les gastronomes avertis, en revanche, c'est la sélection et la qualité qui comptent avant tout. Soyez complice de leur plaisir en leur proposant des spécialités soigneusement assorties. Vous êtes entre vrais amateurs : profitez-en. Voici par exemple la sélection suggérée, pour un mois de septembre, par

Gérard Pascaud,
maître fromager à Neuilly-sur-Seine, 7, rue des Huissiers :

une tranche de Fourme bleue du Lyonnais, un Sainte-Maure de Touraine fermier, un Époisses affiné au marc, une part de Brie de Melun et un morceau de Salers.

Avec ce plateau : un Saint-Joseph, vin des Côtes-du-Rhône.

Si vous connaissez par exemple la prédilection de vos convives pour les Chèvres qui sortent de l'ordinaire, tentez de trouver, en été ou en automne, du Persillé des Aravis : petite Tomme à moisissures internes, dont la pâte onctueuse et très parfumée surprend parfois par son piquant. Accord parfait avec un Seyssel et complétez le plateau avec du Beaufort et de la Tomme au marc, ainsi que de la Brousse.

Si vous savez qu'ils sont plutôt friands de pâtes molles à croûte lavée, proposez un Soumaintrain qui, s'il est correctement affiné, tient du Munster jeune et de l'Époisses subtilement aromatique. Sa pâte crémeuse et riche doit son goût de terroir bien marqué aux lavages répétés de la croûte au vin blanc additionné de marc de café et d'eau salée, d'où sa teinte rouge brun. Accompagnez-le de Boutons-de-Culotte, de Saingorlon et de Morbier fermier.

Mais ne nous croyez pas obligé non plus de dénicher la rareté introuvable : le gastronome averti sait aussi apprécier les fromages les plus classiques, à condition qu'ils soient irréprochables. Le Camembert constitue souvent la pierre de touche de cette attente.

Mais le « Ferme d'Antignac » de Lanquetot, le Jort de Bernières ou le Moulin de Carel, notamment, sans parler de la « cuvée » spéciale de certains affineurs, devraient vous combler.

Messieurs Durand et Delorme, depuis la retraite du célèbre Daniel Courtonne, sont deux « fermiers » réputés sur la place de Vimoutiers. Tentez aussi votre chance chez Chabichou ou Garaudet à Caen.

5. Les gourmets impénitents, comme les gastronomes avertis, sont souvent difficiles à contenter. Mais quelle fête en perspective ! Car ils sont friands de découvertes, ouverts à toutes les expériences, ravis de goûter une spécialité mise au point par un fromager inventif, comblés par un plateau où l'originalité le dispute à la qualité.

Xavier Bourgon,
fromager-affineur à Toulouse,
6, place Victor-Hugo,

nous propose ce plateau conçu pour mars à décembre :
• Bethmale fermier, pâte pressée à saveur lactique légèrement soutenue (vache), originaire du comté de Foix ;
• Bûchette Rieumoise, au lait de chèvre, moelleuse et parfumée ;
• Boutons d'oc, petits fromages individuels au lait de chèvre, à saveur caprine développée, fondants quand ils sont tendres ;
• Pérail fermier, au lait de brebis du Larzac, beurreux et parfumé ;
• Ossau « de fleurs » (brebis), à pâte pressée grasse et très fruitée, qui « monte vite en bouche », avec une persistance très développée ;
• Fourme au Sauternes, une spécialité de la maison, à servir à la cuiller, née de l'union d'une Fourme de Montbrison et d'un vin de Sauternes.
Le plateau sera servi avec un vin rouge de Fronton ou un jeune Cahors de rocaille, frais tous les deux.

C'est aussi avec les gourmets impénitents que vous pouvez tenter un plateau thématique, notamment avec des Chèvres de la même famille, choisis à différents degrés d'affinage, du frais au très sec, ou bien avec une gamme de Bleus :
Gex, Loudes, Pelvoux, Costaros et Queyras, par exemple.
Dans cet ordre d'idée, voici la suggestion de

La Maison du bon fromage
A. et M. Eletufe,
35, rue du Marché-Saint-Honoré,
75002 Paris :

un tableau pour amateurs de Chèvres fermiers à déguster au printemps, avec

• un Chèvre frais de l'Yonne ou du Mâconnais ;
• un Sainte-Maure cendré ;
• un Pavé cendré de Touraine demi-frais ;
• quelques Chèvres du Lot ou de Corrèze, ayant davantage de caractère ;
• un Chèvre sec du Charolais ;
• quelques Boutons-de-culotte et un ou deux Crottins de Chavignol moelleux et secs.
Pour compléter cet assortiment, on peut suggérer éventuellement un Camembert au lait cru, un Reblochon et du Roquefort. À savourer de préférence avec un vin de Sancerre.
Néanmoins, si vous avez la chance de compter sur un bon fournisseur, une seule pièce unique peut suffire : un triple Pont-l'Évêque particulièrement fruité (avec un Chambertin), un

Saint-Nectaire fermier à la croûte grise pigmentée de reflets améthyste, crémeux et fondant (avec un Bouzy) et bien sûr un Vacherin Mont-d'Or, superbement affiné (lavé deux fois par semaine au vin blanc), délicat et onctueux, qui « s'abandonne quand il est à cœur » (avec un Côtes-du-Jura blanc).

6. Avec des blasés revenus de tout, la tâche sera sans doute plus ardue. Ils connaissent — disent-ils — tous les fromages de France et de Navarre, même le Calenzana corse, le fromage fort de Béthune et le Coupi creusois. Ils sont allés goûter en Hollande le Frieshnagel aux clous de girofle et le vrai Gjetost en Norvège, ce fromage au lait de chèvre presque caramélisé qu'il faut déguster avec du café noir brûlant ou de l'aquavit glacé. Ils sont même en cheville avec un fromager italien qui leur confectionne de la « torta San Gaudenzio » où les couches de Gorgonzola alternent avec un Mascarpone bien crémeux, agrémentées d'anchois et de graines de cumin. Peut-être ne connaissent-ils pas l'Anejo mexicain au lait de chèvre affiné huit mois et poudré de piment rouge...

Avec de tels hôtes, n'hésitez pas : revenez aux fondements ancestraux de la science fromagère. Ces globe-trotters de la gastronomie doivent se « ressourcer » d'urgence. Faites-leur retrouve la saveur et le bouquet incomparables d'un Roquefort de première grandeur, d'un Munster des Hautes Chaumes ou d'un Brie de Meaux.

« *Du pain, du vin et...* »
Slogan publicitaire (1984)

Pour parfaire l'accord à trois : le pain

Dans la trilogie idéale — pain, vin, fromage —, souvent le pain passe inaperçu. Symbolique au même titre que le vin, il est devenu à ce point évidence alimentaire qu'on en oublie les dimensions gastronomiques. Et pourtant ! Jamais sans lui la magie du trio ne pourrait opérer.

À part certains cas limites (fromages frais servis aromatisés en hors-d'œuvre, avec des fines herbes, ou en dessert avec des fruits ou du sucre), imaginerait-on de présenter un plateau de fromages sans corbeille de pain ? Évidemment, non ! Or les ouvrages culinaires sont riches de conseils en ce qui concerne les « épousailles du fromage et du vin ». Les morceaux choisis de littérature gastronomique sont nombreux, qui célèbrent les subtils accords entre ces deux nobles produits de la fermentation. Nous n'en prendrons pour preuve que ces lignes de Maurice des Ombiaux, rival et néanmoins ami de Curnonsky, et qui portait le titre de « cardinal de la gastronomie » : « Nuance du climat, honneur du sol français chaque fromage a son vin favori, comme chaque vin a son fromage de prédilection... Les larmes du Gruyère plaisent au Pommard comme au Corton, comme au Saint-Emilion et au Pauillac. Mais le Brie ne le cède en rien au Gruyère pour la dégustation. Je connais de grands amateurs de Margaux et de Latour qui ne veulent avoir recours qu'à lui dans les repas où ils présentent leurs nectars à l'admiration des convives... » Certes, mais dès lors, imagine-t-on la qualité du pain que requiert la noblesse d'un tel mariage ?

Si le pain fait souvent figure de parent pauvre, serait-ce parce que, trop familier, aliment instinctif, il a trop souvent subi le laminage de la médiocrité ? Entre la « vraie » miche faite de farine de meule, fermentée naturellement, cuite dans un four à bois sans autre intervention que la main de l'homme, et le pain « spécial » prétranché, empaqueté, à durée de conservation précisée, il y a, en fin de compte, la même distance qu'entre le Coulommiers au lait cru fermier et le Crème des Prés sous emballage hermétique : des expériences alimentaires différentes, des habitudes gastronomiques différentes, des publics différents, des produits différents, des moments de consommation différents.

Tentons ici de rééquilibrer la donne.

Pain, vin et fromage. Il suffit de retirer un élément et l'accord devient bancal.

Mais, de même qu'il existe plusieurs centaines de fromages et de vins différents, on dispose, non pas de centaines de variétés de pains disponibles, ce qui est sans doute dommage, mais de bien plus qu'on ne le pense en général : l'inévitable baguette n'est pas la seule à donner le tempo !

Des règles de base

Une chose est acquise : le pain est indispensable avec le fromage. Évitons le cliché camembert-baguette-vin rouge et allons un peu plus loin.

Issus tous les trois du ferment, ils appartiennent à la même famille et s'exaltent mutuellement. Pain et fromage sans vin ? Impensable. Pain et vin sans fromage ? On reste sur sa faim. Fromage et vin sans pain ? C'est le médiateur qui manque.

Mais quel pain ?

Blanc, bis ou noir ? De froment ou de seigle, voire aux

sept céréales, aux noix ou aux raisins ? Frais ou rassis ? En tartines, en rondelles ou en bouchées ?

La tradition boulangère n'a peut-être pas aussi bien résisté en France que dans les pays nordiques et germaniques, où l'on rencontre une extraordinaire variété de pains de toutes natures, de toutes formes et de toutes consistances, mais le choix est assez vaste pour tenter les plus belles expériences, que l'on enrichira avec des produits boulangers venus de tous les horizons.

Pain mode d'emploi : quelques conseils.

— La nature du fromage est souvent déterminante : avec des pâtes fermentées, proposez des pains à tendance acide (à base de froment et de seigle, voire de seigle complet), surtout avec les croûtes lavées (Maroilles, Munster, Livarot).

S'il s'agit d'un Chèvre frais, le pain de gruau, le pain viennois ou le pain brioché non sucré est une excellente solution. Pour des fromages très riches en matière grasse, des pâtes fraîches aromatisées, et même des Bleus, le pain aux noix ou aux raisins, actuellement très en vogue, est recommandé par de nombreux gourmets.

— Le fameux pain Poilâne est toujours une bonne solution, quel que soit le fromage et quel que soit le vin.

— Le pain de mie, en revanche, ne peut être qu'un pis-aller (et encore, à la condition d'être toasté).

— La baguette, à condition là aussi qu'elle soit parfaite, a de nombreux adeptes pour les pâtes molles à croûte fleurie.

— Le pain complet forme un bon accord avec les pâtes pressées non cuites, tandis que le pain dit « de campagne » n'est jamais une erreur avec les pâtes cuites.

Pain mode d'emploi : expériences et suggestions.

— Boule de pain au lard : Murol, Cantal, Édam.

— Pain au sésame : pâtes fraîches aux fines herbes.

— Pain à l'aneth : fromages blancs nature.

— Fougasse : fromages de chèvres mi-frais.

— Pain brié : très blanc et très dense (spécialité normande), idéal pour les pâtes à croûte fleurie ; à couper en tranches fines.

— Pain plié breton : pâtes demi-dures et fruitées.

— Gâche : galette de pâte de froment, encore meilleure tiède, à déguster avec des pâtes molles enrichies (Saint-Albray, Chaumes, Chamois d'or, etc.).

— Flûte ou pain à potage : pâtes dures.

— Pain polka (croûte épaisse et brune, pour les amateurs de pain très cuit) : fourmes et bleus.

— Petit pain pistolet ou empereur : Brie, Coulommiers.

— Pain au cumin : Munster, Langres, Soumaintrain.

— Pain Graham : pâtes molles enrichies.

— Pumpernickel (noir, de seigle, très dense) : fromage fondu, Édam ou Gouda jeune.

— Pain méture (à la farine de maïs) : fromages de brebis, Tommes de Savoie et des Pyrénées.

— Pain d'épice : fromages fondus aromatisés.

— Crackers nature ou au cumin : fromages anglais (Cheddar et Cheshire) ou hollandais.

— Gressins et longuets : fromages frais aromatisés et fromages blancs aux fines herbes, Bel Paese, Provolone.

— Pain viennois et baguette : pâtes molles et douces.

— Pain complet : Maroilles, Pont-l'Évêque.

— Pain de seigle un peu rassis : Roquefort, pâtes dures.

— Biscottes au son : Neufchâtel, Chaource, Boursault.

— Galettes « knäckebrot » nature, au sésame ou au cumin : pâtes molles à croûte lavée.

— Pain « de campagne » à mie aérée : Chèvres demi-durs.

À chacun de découvrir et de faire partager les harmonies parfaites. À chacun d'inventorier les mariages les plus heureux.

Et puis, il n'y a pas que le goût et la nature du pain. Il y a aussi sa consistance : croustillant avec une mie souple (pour les pâtes molles), dense et ferme, légèrement rassis

(pour les Bleus et les pâtes cuites), moelleux et frais (pour des Chèvres et des pâtes pressées). En effet, il est intéressant, avec ce registre, de jouer sur des contrastes et des oppositions, ou bien des mariages et des accords.

Par exemple : la baguette en épis, fraîche et croustillante, avec du Brie, mais aussi du Livarot ou du Laguiole ;

le pain de seigle à l'allemande (grains entiers) avec soit des Chèvres frais, soit des Tommes de Savoie ;

et même des crêpes de sarrasin non sucrées avec les fromages d'abbaye et les Trappistes.

Enfin, la température peut constituer un dernier facteur non négligeable : Alain Senderens propose comme accompagnement pour tous les fromages du pain Poilâne en tranches grillées. Cette solution est particulièrement délectable avec les Bleus et le Roquefort.

Une variation idéale
pain-fromage : le sandwich
et son alter ego le croque-monsieur

« Le sandwich, contrairement à ce que pensent certains, n'est pas une infamie gastronomique », affirme Lionel Poilâne dans son *Guide de l'amateur de pain* (Laffont, 1981) et pour le prouver, il nous suggère notamment : « Deux fines tranches de pain de froment aux noix avec du Vacherin, du Gratte-paille ou du Pierre-Robert. »

Pour les sans-imagination qui croient que sandwich et fromage riment obligatoirement avec baguette et Gruyère, voici quelques idées de garniture :
— fromage persillé et mayonnaise
— Roquefort, olives noires hachées et beurre
— demi-sel, ciboulette et concombre hachés
— Crème de Gruyère et miettes de Cantal
— miettes de poisson froid et Gruyère râpé
— Chèvre frais et zeste de citron râpé
— purée d'avocat et Port-Salut
— Gouda et ketchup
— moutarde douce et Emmental
— beurre de crevettes (ou de homard) et Comté
— beurre de Roquefort et Cantal
en utilisant soit du pain de mie légèrement rassis en fines tran-ches beurrées, soit du pain Poilâne en tranches très très fines, soit encore des pains au lait individuels.

Autre suggestion hautement gastronomique, due également à Lionel Poilâne : le *crouston*, c'est-à-dire une tartine de bon pain bien grillé, sur lequel on étale, par exemple, un mélange de branche de céleri très finement hachée, de beurre et de Bleu d'Auvergne.

Les pâtes fraîches diversement aromatisées (paprika, raisins secs, noix hachées, cari, poivre noir, etc.) constituent aussi d'excellentes garnitures.

Ou encore :
— purée de poivron + demi-sel + paprika
— Banon frais + olives noires hachées
— pâté de foie + lamelles de Tomme maigre
— purée de saumon + fines tranches de Reblochon
— purée de champignons + ciboulette + miettes de Bleu des Causses.

Le chapitre du croque-monsieur, enfin, constitue un classique de l'alliance pain-fromage. Comment le varier ?

Sa formule traditionnelle est bien connue : pain de mie, jambon blanc (ou fromage fondu), le tout en sandwich frit ou doré au beurre, voire grillé. Servi avec un œuf sur le plat à cheval, il devient le « croque-madame ».

• **Première variation :** garder le jambon et changer le fromage.

En essayant :
— du Cantal, du Saint-Nectaire, de la Tomme, de la Mimolette, du Morbier ;
— un mélange de beurre et de Roquefort (ou de Bleu) ;
— un mélange de beurre et de Brie ou de Cœur de Bray, etc.

• **Seconde variation :** remplacer le jambon blanc par
— du jambon fumé (avec du Murol ou de la Tomme de Savoie) ;
— du bacon (avec du Cantal ou de l'Entrammes) ;
— du blanc de poulet (avec du Gouda au cumin, du Saint-Paulin ou du fromage de vache des Pyrénées) ;
— un steak de viande hachée, dans un petit pain rond au sésame (avec des lamelles de Fondu ou un mélange de Bleu de Bresse et de beurre) : on aura reconnu le cheese-burger inspiré du hamburger, qui lui n'est pas grillé après garniture.

• **Troisième variation :** intercaler un fruit
— pain beurré + Beaufort en lamelles + jambon blanc + ananas en très fines tranches + salade verte ;
— pain brioché rassis + beurre de Roquefort + lamelles de poires ;

— pain Poilâne très fin, retaillé en rectangles + purée de pruneau + lamelles de Fourme d'Ambert + lamelles de jambon cru ;
— pain de mie toasté + purée de bananes + jambon fumé + Fontal ;

• **Quatrième variation :** utiliser une « purée » de poisson :
— pain de mie toasté + purée d'anchois + lamelles d'Emmental ou de Comté ;
— pain de mie toasté + brandade + Beaufort râpé + olives ;
— purée de saumon fumé sur pain de seigle très fin + Gouda français + ciboulette hachée ;
— purée de crevettes + crevettes entières + Pyrénées au lait de vache.

Et pour clore ce chapitre, qui reste malgré tout ouvert sur vos propres créations, voici encore trois variations sur le thème du *croque-monsieur* (ou du simple sandwich).

• Prendre par personne deux grandes tranches de pain de mie. Les tartiner de beurre d'amandes ou de noisettes. Disposer par-dessus 100 g de fromage à raclette en lamelles, avec entre les deux une tranche assez mince de jambon à l'os.

• Prendre par personne deux tranches de pain Poilâne écroû-tées et retaillées en rectangles. Les tartiner de purée de raifort mêlée de fromage frais. Disposer par-dessus de fines lamelles de Chamois d'or, mélangées avec des petites lanières de saumon fumé.

• Prendre par personne deux tranches de pain aux céréales complètes légèrement toastées. Les tartiner de beurre d'estragon. Garnir avec des tranches fines de Munster, avec quelques aiguillettes de canard ou de poulet cuit. Faire croustiller sous le gril. Servir avec des tranches d'avocat citronnées.

Compléments et à-côtés

*« Pain, beurre et bon fromage
Contre la mort est bonne targe. »*

Dicton du Moyen Âge
(targe = bouclier)

Faut-il proposer du beurre avec le fromage ?

Pour certains, la question ne se pose même pas. Ils cultivent depuis toujours l'habitude de servir le plateau de fromages avec un beurrier. Et l'idée de ne pas tartiner légèrement de beurre frais le morceau de pain qui sert de support à leur bouchée de Camembert, de Beaufort, de Brie, de Munster ou de Saint-Nectaire leur semblerait incongrue. Il faut avoir goûté du beurre au lait cru d'Isigny, de Sainte-Mère-Église ou d'Échiré, non pasteurisé, à la motte, pour apprécier le complément d'onctuosité, de saveur et de léger parfum de noisette ou de violette qui intervient dans la dégustation. Attention, ces beurres d'exception ne se conservent que quelques jours ; les autres grandes marques classiques de beurres normands ou charentais sont tout indiqués.

Pour d'autres, en revanche, la suggestion elle-même paraît une hérésie : associer dans une même dégustation deux produits contenant de la matière grasse et provenant parfois de deux origines animales différentes leur semble un non-sens gastronomique. Par exemple, ils s'élèvent avec la dernière énergie contre le beurre avec le Roquefort, association que l'on propose pourtant souvent (même à ceux qui habituellement ne prennent pas de beurre avec le fromage) pour adoucir le goût très fort de ce « bleu ».

Et puis l'on trouve chez certains fromagers, outre du beurre de vache, un insolite « beurre de chèvre » (La Ferme Saint-Hubert) spécialement conçu pour tartiner son pain quand on fait honneur aux Crottins, aux Pélardons ou aux Cabécous un peu secs.

Il est vrai que des fromages bien choisis et faits à point, ou encore les pâtes molles enrichies à la crème, se suffisent parfaitement à eux-mêmes. Mais il n'existe dans ce domaine aucune règle absolue. Le libéralisme se doit de contribuer aux plaisirs de la table. Proposez deux ou trois petits beurriers (ou un grand) en même temps que le plateau et laissez chacun procéder comme il l'entend. Solution préférable à la gêne que vous risqueriez de susciter si l'un de vos hôtes refusait tristement de se servir de fromage en murmurant : « Dommage, il n'y a pas de beurre... »

Le beurrier s'imposera d'autant plus que le plateau est bien fourni en « Bleus » ou en pâtes pressées bien « mûres » qui auraient tendance à être un peu trop salées.

Arômes et condiments

Le beurre n'est pas le seul « condiment » du fromage. On entre ici dans un domaine où nombre d'expériences gustatives sont permises si l'on est curieux de tenter des mélanges classiques ou insolites. Les fromagers eux-mêmes sont les premiers à montrer la voie. Si certains se refusent aux « fromages fantaisie », d'autres se montrent très inventifs, comme M. Delaisse (À la Ferme d'Olivia, Paris) avec ses plateaux pour l'apéritif où les cubes de Comté enrobés de viande des Grisons côtoient les noisettes de Camembert roulées dans la poudre d'amande.

Rien n'est obligatoire et tout est facultatif. À vous de proposer, selon la dominante de votre plateau et la teneur de votre repas, divers condiments et accompagnements plus ou moins parfumés. Ils seront présentés à part, groupés sur une assiette ou un plateau ou dans une corbeille, à faire circuler au gré de chacun. Si votre plateau est déjà très riche et diversifié, et comprend déjà par exemple des pâtes aromatisées fraîches ou cuites, réduisez ces condiments au minimum. En revanche, si le plateau se limite à trois ou quatre classiques (Brie, Cantal, Beaufort, Époisses, Chèvre), augmentez la gamme.

• Le cumin est le condiment classique du Munster, mais on peut l'essayer aussi avec un

Langres ou un Rollot, voire avec une pâte pressée (Cantal, Tomme) ou un fromage fondu.

• Les fines herbes, les petits oignons ou l'échalote avec le fromage frais, les caillebottes ou le fromage blanc sont également traditionnels et d'autant plus recommandés que cet accompagnement s'accorde à merveille avec la saveur lactique toujours un peu neutre de ces fromages. N'oubliez pas non plus en même temps le sel fin et le moulin de poivre.

— Pour les pâtes fraîches de vache ou de chèvre : ciboulette, cerfeuil, persil plat, petites tiges d'oignon vert, cives, etc., parés, lavés et épongés très frais dans une coupelle ; échalote ou oignon, pelé et finement émincé.

— Pour les fromages de brebis frais : basilic ou sarriette et même menthe.

• Le paprika, le cari doux et le sel de céleri aromatisent volontiers les pâtes fraîches de consistance assez ferme bien égouttées, ainsi que certains doubles-crèmes ou triples-crèmes très peu affinés ; ils peuvent aussi se marier avec des raisins secs et même des olives noires ou vertes (également avec des pâtes fondues).

• Pour accompagner des pâtes douces ou des fromages fondus, ne vous limitez pas aux raisins secs ou aux cerneaux de noix.

— Amandes, pistaches, pignons, noix de cajou, cacahuètes s'associent volontiers (comme dans les salades composées) avec des pâtes pressées ou cuites jeunes et tendres : Mimolette, Emmental jeune, Saint-Paulin, Tommes.

— Raisins de Malaga (plus musqués et moins sucrés que ceux de Corinthe) se marient bien avec les fromages fondus, des pâtes fraîches ou certaines pâtes pressées (Trappistes, Provolone, tommes, etc.) ; il n'est pas interdit en outre de faire préalablement tremper les raisins secs dans un alcool ou une eau-de-vie (d'autant plus aromatique que le fromage concerné est de saveur douce ou neutre).

• Les noix forment un accord traditionnel avec les Bleus : Fourmes, Bleus des Causses ou d'Auvergne, mais aussi Roquefort ou Stilton ; on peut compléter cet accord avec des figues (fraîches ou séchées), du raisin frais ou des quartiers de pommes.

• Une touche de sucré : les bleus acceptent également un autre condiment beaucoup moins classique, le miel (comme le suggère C. Bon dans son *Guide des fromages*), notamment avec les Fourmes ou les Bleus du Haut-Jura ; on choisira de préférence un miel liquide (acacia ou romarin) ou encore un miel de bruyère très aromatique. Certaines compotes (rhubarbe ou quetsches, pruneaux ou pommes) peuvent être délicieuses avec un Cantal jeune, un Cheddar ou une Tomme de montagne ; quant aux gelées (coing, groseilles, cassis), elles sont très originales avec une pâte molle pas trop

affinée qui paraîtrait un peu fade (Carré de l'Est, Neufchâtel, etc.). Essayez même, comme sous les tropiques, une Tomme de brebis avec de la confiture de goyave ou de papaye...

• Pour en revenir à des accords moins exotiques, n'oubliez pas les moutardes douces ou fortes, aromatisées ou à l'ancienne, avec les pâtes cuites de type Gruyère. Les chutneys aigredoux (à la pomme, à la mangue ou à la tomate), plus ou moins épicés, sont délicieux avec certaines pâtes pressées non cuites (type Hollande, Cheddar, fromages d'abbaye, Saint-Paulin ou même Morbier et Murol industriels). Enfin, à l'instar des Anglais, on peut aussi servir des petits oignons au vinaigre doux et des pickles avec des pâtes pressées ou cuites, voire certains bleus assez doux.

• Dernière suggestion : petite salade de mesclun, tomates cerises et poivrons marinés à l'huile (ou petits cœurs d'artichauts) avec des fromages de brebis ou de chèvre, frais, demisecs ou marinés à l'huile, et même certaines Tommes de montagne.

LA CUISINE AU FROMAGE ET LE FROMAGE EN CUISINE

« Le fromage qui fait chanter la soupe à l'oignon, rend sublime une simple purée de pommes de terre, fait filer le macaroni et intervient pour de savoureux gratins... »

Maurice des Ombiaux (1868-1943)

« Avez-vous jamais goûté au Camembert frit, au Cacio à l'orientale, à l'aligot, à l'un de ces innombrables soufflés ou gratins élaborés, variables à l'infini ? Non, la cuisine au fromage n'est pas une cuisine de complément. »

Pierre Androuët

« Nourriture des bergers depuis la plus haute antiquité, le fromage est, grâce au génie inventif des hommes, devenu un des fleurons de la gastronomie. »

Prosper Montagné

Pour vous entraîner à la découverte du continent fromage quand la cuisine s'en inspire, voici plusieurs axes. Car, « cuisine au fromage » ou « fromage en cuisine », il existe plusieurs manières d'aborder la question.

• Il y a d'abord les *recettes au fromage proprement dites*, c'est-à-dire celles qui, d'origine régionale ou étrangère, nécessitent le recours à un fromage particulier, dont le degré d'affinage, souvent, est déterminant.

• Il y a ensuite toute la gamme des *emplois classiques du fromage*, moins typés, qui vont des salades composées aux soupes, en passant par les canapés, toasts, croûtes, crêpes, sauces, soufflés, etc. Or dans ce domaine, partant d'une recette donnée, il est facile de renouveler l'accord de base en imaginant de nouvelles combinaisons.

• Il y a aussi, pour les cuisinières bien inspirées ou les chefs amateurs, le royaume séduisant de la *création personnelle*. Vous aimez faire la cuisine ? Vous aimez le fromage ? Alors, lancez-vous ! Commencez par des essais sans risques : salades composées, brochettes, entremets à base de fromage frais, puis imaginez de nouveaux accords plus hardis, avec des viandes ou des poissons...

• Il y a enfin — et ce domaine n'est pas le moins intéressant — tout l'éventail des « trouvailles », des « trucs », des « bonnes idées » qui permettent, quoi qu'il arrive, de trouver un succulent emploi à un fromage qui, enfin, un fromage que... bref, un fromage que l'on ne veut ni présenter sur un plateau sous peine de rougir, ni jeter car le gâchis alimentaire est par définition indéfendable (à moins qu'il ne s'agisse d'un produit manifestement avarié).

Pour ces quatre grands axes de découverte, voici des conseils et des recettes.
1. Les surprises de l'inventaire
2. Vous avez dit gratin ?
3. Avec un zeste de génie...
4. ... Et un grain d'astuce

—1. Les surprises de l'inventaire—

Dans la Grèce antique, le fromage, souvent frais, intervenait très largement en cuisine et en pâtisserie. Au Moyen Âge et pendant la Renaissance, nombre de recettes font appel à des fromages frais ou affinés, de vache ou de brebis. Jusqu'à aujourd'hui, l'inventaire des régions et des provinces, en Europe et jusqu'en Russie, nous offre des mets originaux et savoureux, reflet de la place que le fromage a toujours joué en gastronomie. Certains sont complètement oubliés, d'autres font figure de classiques.

En voici plusieurs, parmi les plus savoureux.

Truffade auvergnate

« Les amateurs estiment que la meilleure Tomme pour la truffade (ou truffado) est celle de La Planèze, particulièrement grasse », précise le *Larousse gastronomique* à propos de cette poêlée de rondelles de pommes de terre au saindoux mêlée de lamelles de Cantal frais. En voici la recette :

• Peler et couper en rondelles bien plates 6 pommes de terre à chair ferme.

• Faire fondre dans une grande poêle 4 cuillerées à soupe de saindoux. Y mettre les rondelles de pommes de terre et les saler. Les faire sauter à intervalles réguliers pendant 20 minutes environ. Au bout de 10 minutes, ajouter 200 g de Tomme fraîche coupée en lamelles. Mélanger les deux ingrédients sur feu assez vif.

• Laisser dorer sans remuer lorsque le mélange est réalisé.

• Retourner la galette ainsi formée pour la faire dorer de l'autre côté. Laisser cuire à couvert pendant encore quelques minutes.

• Servir en entrée chaude, en faisant glisser la truffade sur un plat de service tenu chaud.

On peut ajouter à cette préparation des lardons rissolés ou de l'ail haché. Son nom lui vient de « truffe » (de terre), ancienne dénomination de la pomme de terre dans les campagnes d'Auvergne et du Centre.

Pain d'œufs au fromage blanc

Cuisinier français, grand praticien et fameux érudit (1857-1942), Philéas Gilbert travailla avec Escoffier et Montagné. Auteur de nombreux livres de cuisine, dont *La Cuisine rétrospective* et *La Cuisine de tous les mois*, il nous propose ici une entrée chaude, originale et savoureuse :

Pour 5 personnes :
250 g de fromage blanc « à la pie » (caillé bien égoutté)
5 œufs entiers
Sel, poivre blanc et noix de muscade
50 g de beurre
50 g de lard de poitrine coupé en gros dés
25 cl de lait et une petite tasse de crème fraîche

Enfermer le fromage blanc dans une mousseline et le faire égoutter à fond. Le verser ensuite dans une terrine et le travailler avec le beurre ramolli, du sel, du poivre (au goût), et une pincée de noix de muscade râpée. Ajouter ensuite les lardons préalablement blanchis, les œufs battus et le lait bouilli. Verser cette préparation dans un moule à charlotte beurré et faire cuire au bain-marie, au four (180 °C), pendant 35 min environ. Sortir le moule du bain-marie, le laisser reposer une dizaine de minutes et démouler le pain sur un plat rond. Servir aussitôt en arrosant de crème très fraîche chauffée sans ébullition. Ajouter encore éventuellement une pointe de noix de muscade râpée.

Gougère bourguignonne

Servie tiède, en entrée, voire chaude, ou bien refroidie, pour déguster une bonne bouteille de Bourgogne à l'apéritif.

Préparer une pâte à choux salée avec 125 g de beurre (50 cl d'eau), 250 g de farine et 6 œufs entiers. Après avoir incorporé les œufs, ajouter 100 g de Gruyère coupé en très fines lamelles (non râpé) et un peu de poivre blanc.

Disposer des petites boules de cette pâte sur une plaque à four beurrée, en vous servant de deux cuillers ; on peut aussi

introduire la pâte dans une poche à douille et « pousser » sur la plaque des petits choux ou une grosse couronne. On peut aussi réaliser une seule grosse gougère en forme de boule aplatie.

Dorer à l'œuf et parsemer la ou les gougère(s) de minuscules morceaux de Gruyère. Faire cuire au four à 200 °C, pendant une vingtaine de minutes, jusqu'à ce que la pâte soit bien dorée. Laisser de préférence tiédir dans le four éteint, juste entrouvert.

Sauce Mornay

Proportions pour 50 cl de béchamel :
70 g de fromage râpé
incorporé jusqu'à fusion complète puis, hors du feu,
2 jaunes d'œufs battus
avec une cuillerée à soupe de lait,
enfin 2 cuillerées à soupe de crème fraîche,
en remuant à nouveau sur le feu.

Grande création classique attribuée à Joseph Voiron, le chef des cuisines du fameux restaurant Durand (place de la Madeleine, aujourd'hui disparu), à la fin du siècle dernier, cette béchamel additionnée de jaune d'œuf et de Gruyère râpé porte en réalité le nom du cuisinier Mornay, l'aîné de Voiron. Rendons à César ce qui est à César et convenons que cette sauce au fromage est la trouvaille idéale pour réutiliser sous une forme plaisante toutes sortes de restes, ce qui est souvent le cas en restauration : d'où les coquilles de poisson, gratins, hachis, crêpes et pannequets diversement fourrés. Il est courant d'utiliser de l'Emmental français pour cette préparation, mais il n'est pas interdit de lui donner un peu plus de relief avec une touche de Cantal, de Mimolette ou de Reblochon, notamment pour des gratins de légumes un peu neutres (salsifis, chou-fleur, cardons, endives, etc.).

La sauce doit être épaisse et crémeuse, mais on peut éventuellement, pour plus de légèreté, supprimer les jaunes.

Œufs Toupinel

Cette création également de la fin du siècle dernier (et du non moins fameux restaurant Maire, boulevard Saint-Denis) est une excellente illustration d'époque. La recette n'est pas compliquée.

• Faire cuire au four des pommes de terre dans leur peau et les évider soigneusement sans les percer ; écraser la pulpe avec du beurre et de la crème, saler et muscader.

• Regarnir les pommes de terre et les napper de sauce Mornay ; poser par-dessus un œuf poché, napper à nouveau de sauce et faire glacer sous le gril.

• Servir avec du persil frit.

On peut ajouter du jambon maigre émincé à la pulpe de pomme de terre, ou bien de la purée d'épinard ou de céleri.

Tourouillettes ariégeoises

Pour 4 brochettes, il vous faut :
8 Tourols, petits Chèvres mi-secs de 50 g chacun
(chez M. Raulet, Bonnac-par-Escosse, *dixit* Henry Viard, que l'on peut éventuellement remplacer par des Cabécous ou des Crottins)
8 minces tranches de lard de poitrine fumée
8 languettes de chair de poivron vert
12 lardons gras
8 quartiers de tomates à chair ferme

Couper chaque fromage en quatre morceaux égaux et envelopper chaque morceau dans une tranche de lard de poitrine fumée. Garnir les brochettes en intercalant les éléments : morceaux de fromage enveloppés, lardons, poivron et tomate.

Faire griller sur un feu de braises pas trop vives.

Servir en entrée chaude, avec des petits pains individuels au cumin ou au fenouil.

Servir avec un Cahors.

Grimolettes de chou au Chèvre frais

8 belles feuilles de chou blanc
500 g de fromage de chèvre frais
5 œufs entiers
6 cuillerées à soupe bombées de sucre
3 cuillerées à soupe rases de farine
Sel fin

Laver les feuilles de chou, puis les plonger 2 min dans une grande quantité d'eau portée à ébullition. Les égoutter aussitôt et les éponger soigneusement entre deux torchons. Les laisser en attente. Dans une terrine, mélanger le fromage frais et le sucre en fouettant, ajouter une pincée de sel, puis incorporer les œufs, un par un, et enfin la farine tamisée en pluie. Bien mélanger jusqu'à consistance homogène et lisse, mais néanmoins assez épaisse. Répartir cette préparation sur les feuilles de chou ; former ensuite des petites paupiettes bien « emballées ». Disposer ces grimolettes sur une plaque à four très légèrement beurrée et faire cuire à chaleur modérée pendant 15 min environ, en surveillant. Servir en dessert. On peut également réaliser une seule grande grimolle, soit directement dans un moule à tarte beurré, soit dans un moule tapissé de feuilles de chou, que l'on rabat sur la préparation.

Cette préparation typiquement poitevine pourra s'intégrer dans un menu à dominante régionale, par exemple : rillettes de porc, brochettes de grenouilles et chou-fleur sauté à l'ail, Chabichous et grimolettes.

——— 2. Vous avez dit gratin ? ———

Il suffit souvent de feuilleter un livre de recettes traditionnelles pour s'apercevoir que nombre de mets, codifiés depuis des générations, se prêtent à toutes sortes de « relectures » aussi savoureuses et originales les unes que les autres. Laissez-vous guider par vos propres goûts et tentez les accords qui séduisent votre imagination.

Vous avez dit gratin ? Répondons salades composées, croûtes gratinées, soufflés, tartes et autres délices...

Salade composée

C'est tout ou rien. Si c'est l'inévitable mélange de salade verte, dés de « Gruyère » et cerneaux de noix avec une vinaigrette sans esprit : échec et déception. Mais auriez-vous pensé, par exemple, au Murol ?

Chicorée au Murol

Pour 4 personnes :
250 g de haricots verts
250 g de magret de canard
1 chicorée frisée
200 g de Murol
une dizaine de tomates-cerises
2 pommes reinettes, 1 citron
2 ou 3 cuillerées à soupe d'huile de noix
1 ou 2 cuillerées à soupe de vinaigre d'estragon
1 cuillerée à café de moutarde douce
sel, poivre blanc au moulin

Faire cuire les haricots verts à la vapeur et les tenir légèrement croquants. Laver et parer la chicorée ; l'essorer et la diviser en petits morceaux. Laver

et essuyer les tomates. Peler, épépiner les pommes, les émincer et les citronner. Faire cuire le magret de canard à cru dans une poêle très chaude, sans matière grasse, en le retournant à mi-cuisson. L'émincer en fines lamelles. Préparer la vinaigrette.

Détailler le Murol en petits dés. Assaisonner la chicorée et la réserver. Répartir les haricots verts dans quatre assiettes, avec la salade par-dessus. Ajouter les lamelles de magret, les dés de Murol et les lamelles de pommes. Décorer avec les tomates-cerises. Servir aussitôt.

Toujours au chapitre de la salade composée, nombre de recettes suggèrent un fromage, souvent à pâte cuite ou à pâte pressée (Comté, Gouda, Emmental, Saint-Paulin, etc.) mais un seul. Pourquoi ne pas marier plusieurs fromages ?

Chiffonnade aux 4 fromages

Pour 4 personnes :
1 cœur de laitue
150 g de Trévise
150 g de mâche
2 ou 3 branches de céleri
50 g de Bleu d'Auvergne
50 g de Beaufort
50 g de Pavé d'Auge
1 carré de fromage demi-sel
1 verre de yaourt liquide
Jus de citron, moutarde, sel, poivre

Parer, laver et essorer les salades, séparément. Effiler, laver et essuyer les branches de céleri ; les tronçonner. Préparer la sauce avec le yaourt, du jus de citron au goût, une bonne pointe de moutarde, du sel et du poivre. Écroûter les fromages et diviser en cubes ou petits morceaux. Garnir quatre assiettes de service avec les salades mélangées et le céleri. Répartir par-dessus les fromages. Arroser de sauce au yaourt et servir frais, avec des petits pains au sésame ou au cumin.

Qui dit « salade » ne dit pas forcément « salade verte ». Nombre de légumes, soit crus et finement émincés, soit cuits *al dente,* se servent en salade avec une sauce bien relevée où le fromage peut jouer le point d'orgue. La salade de céleri et sa sauce au Roquefort sont presque devenus un classique. Sur cet exemple contrasté, on peut imaginer les variations suivantes :

Radis sauce Chabichou

Radis roses et rondelles de radis noir retaillées en quartiers, mêlés de persil plat ciselé.

Pour la sauce : deux Chabichous pas trop faits, 2 cuillerées à soupe de fromage blanc, 3 cuillerées à soupe de vin blanc sec, poivre blanc ; bien émulsionner les fromages écroûtés, écrasés à la fourchette avec le fromage blanc (très fluide) et le vin blanc ; ne pas saler (le fromage l'est assez) et poivrer au goût.

Chou-fleur sauce Maroilles

Bouquets de chou-fleur cuits à la vapeur ou surgelés et ébouillantés.

Pour la sauce : un quart de Maroilles fait à cœur, écroûté, réduit en petites miettes, incorporé dans une vinaigrette préparée avec 3 cuillerées à soupe d'huile de noix, 2 cuillerées à soupe de vinaigre de Xérès, 2 branches d'estragon ciselées, du sel et du poivre noir au moulin.

Artichauts sauce Gorgonzola

Fonds d'artichauts et cœurs d'artichauts au naturel, bien égouttés, ébouillantés et rafraîchis, légèrement citronnés.

Pour la sauce : 100 g de Gorgonzola, 100 g de fromage blanc, 1 cuillerée à soupe de cerfeuil haché, un jus de citron, sel et poivre ; mélanger intimement tous ces ingrédients en émiettant le Gorgonzola dans le fromage blanc.

Sur le thème des croûtes gratinées

Le principe est simple : il consiste à faire dorer au beurre des tranches de pain de mie assez épaisses et légèrement évidées, que l'on remplit ensuite de champignons à la crème, de petits dés de jambon liés de béchamel, de fruits de mer en sauce, de purée d'oignons, etc., et que l'on fait gratiner avec une petite couche de râpé. C'est d'ailleurs aussi le principe du welsh rarebit et même du croque-monsieur.

Les variations sur ce thème sont multiples : il suffit de changer la nature du pain : de mie, de campagne, de seigle brioché, de maïs, etc.

La garniture : crevettes, foies de volaille, purée de légume, de poisson, etc.

Et bien sûr le fromage : toute pâte dure ou mi-dure (à râper ou en fines lamelles).

Une interprétation très fine :

Brioche dauphinoise

de André Guillot
(*La Grande Cuisine bourgeoise,* Flammarion, 1976).

Il faut 8 belles tranches de brioche non salée (de 12 cm de côté sur 1 cm d'épaisseur environ) et par ailleurs 300 g de Tomme de Savoie et 300 g de Beaufort, mis à tremper dans du lait 24 heures à l'avance.

On beurre un plat allant au four et on y range les tranches de brioche (rassise pendant 24 h). On passe au moulin grosse grille les deux fromages écroûtés ; on ajoute du poivre et 200 g de crème épaisse. Le mélange bien homogène est réparti sur les tranches de brioche. Mettre au four pendant 25 min à 180 °C environ. Servir très chaud, bien doré.

Un autre exemple plus « musclé » :

Rhum Tum Tiddy Old-Boston

Cette variante du welsh-rarebit à la bostonienne se réalise avec du Cheddar, mais on peut l'interpréter également avec du Cantal.

Pour 4 personnes : faire dorer un oignon haché dans 15 g de beurre sur feu doux ; saler, poivrer, ajouter 250 g de pulpe de tomates épépinées préalablement cuites au naturel et une bonne pincée de sucre ; laisser cuire doucement jusqu'au seuil de l'ébullition. Incorporer ensuite 350 g de fromage râpé en remuant pour le faire fondre, puis un œuf légèrement battu. Verser ce mélange brûlant sur des tranches de pain de campagne écroûtées, taillées en rectangles et légèrement toastées.

Une dernière suggestion encore plus corsée :

Rôties de fromage au vin rouge

Pour 4 personnes : faire fondre dans un poêlon 180 g de Fourme avec 40 g de beurre en remuant doucement ; ajouter 15 cl de vin rouge (Côtes-d'Auvergne ou Côtes-du-Rhône), 1 cuillerée à café de moutarde douce et du poivre au goût.

Lorsque le mélange est parfaitement fondu et commence à grésiller, le verser sur des tranches de pain de seigle écroûtées légèrement rassises. Servir aussitôt, avec des petits oignons marinés au vinaigre.

Cette recette qui utilise une Fourme d'Auvergne peut également se réaliser avec d'autres bleus et de la bière brune au lieu de vin.

Autant de soufflés que de fromage...

Un soufflé au fromage : que peut-on imaginer de plus classique et de plus traditionnel ! Une béchamel (40 g de beurre + 40 g de farine + 4 dl de lait, poivre, sel, muscade), 100 g d'Emmental râpé (ou 70 g de Parmesan), 4 ou 5 jaunes, puis les blancs en neige ferme. Le tout au four dans un moule beurré : 30 min à 200 °C sans ouvrir la porte.

On ne peut pas dire que l'on atteigne là des sommets d'imagination. Et pourtant, la formule s'y prête.

• Varier d'abord le fromage : Comté avec un peu de Bleu (en fait, n'importe quelle pâte pressée ou bleue peut convenir).

• Ajouter des fines herbes : ciboulette, aneth, cerfeuil.

• Ou bien une épice : paprika, Cayenne, moutarde.

• Voire une touche de kirsch ou de marc.

• Incorporer éventuellement de la purée de tomate ou d'oignon et même de l'essence de truffe.

Voici une variation encore différente, inspiré d'un livre de recettes allemandes (*Das Neue Kiehnle-Kochbuch*, W. Hädecke Verlag, 1960) :

Soufflé de semoule au fromage

Pour 4 personnes :
100 g de semoule
120 g de Fribourg ou d'Emmental
50 cl de lait, sel
60 g de beurre
5 œufs et 1 pincée de zeste de citron râpé

Verser le lait dans une casserole, ajouter le beurre en morceaux et porter doucement à ébullition. Y verser la semoule en pluie et faire cuire en remuant sur feu doux jusque ce que la préparation devienne épaisse. Retirer du feu et laisser tiédir. Incorporer les 5 jaunes et le fromage râpé, une bonne pincée de sel et le zeste de citron, puis pour terminer les blancs battus en neige ferme. Verser la préparation dans quatre ramequins assez grands bien beurrés. Faire cuire au bain-marie pendant 30 min environ à 220°C. Servir dans les récipients lorsque le dessus est bien doré.

Et un deuxième exemple de soufflé, agrémenté de verdure :

Soufflé au Beaufort à la cressonnière

Pour 4 personnes :
25 g de beurre et 25 g de farine
30 cl de lait, sel et poivre
80 g de Beaufort râpé fraîchement

1 botte de cresson
3 œufs entiers

Préparer un roux blond avec le beurre et la farine. Incorporer le lait petit à petit en portant à ébullition, sans cesser de remuer. Laisser cuire 3 à 4 min. Retirer du feu et incorporer le fromage râpé. Réserver quelques bouquets de cresson pour la décoration et hacher tout le reste dans une terrine ; verser par-dessus la préparation précédente et mélanger, puis ajouter les trois jaunes d'œufs ; saler et poivrer. Incorporer enfin les blancs battus en neige très ferme avec une pincée de sel. Verser le tout dans un moule à soufflé beurré et faire cuire pendant 45 min environ au four chauffé à 180 °C. Servir très chaud en disposant en décor les bouquets de cresson réservés.

Suggestion de menu pour suivre : truites meunières et tomates sautées à la provençale, plateau de fromages (double-crème aux fines herbes, Emmental et Pont-l'Évêque), clafoutis aux cerises.

Au chapitre des **tartes** et des **tourtes**, que d'emplois !

On pense bien sûr à la *pizza*, brûlante et parfumée, où le fromage fondu se mêle à la tomate et à l'anchois. La voici telle qu'un gourmet-gourmand l'évoque (Léon Gessi dans *Rome et ses environs*) : « Une fleur épanouie, noble et pleine de senteurs ; la Mozzarella pétille encore, en faisant des bulles sous l'ardeur du foyer et laisse voir des taches d'huile et des touches de tomate. » La bouchée brûlante que vous portez à votre bouche « danse, toute parfumée, entre langue et palais », en révélant un goût « qui va de l'aimable caresse à la morsure aiguë... »

Il n'est pas rare que, dans la pizza, le Parmesan râpé remplace la Mozzarella (au lait de bufflonne), quand celle-ci n'est pas tout simplement remplacée par de la « Pizzarella », fausse Mozzarella au lait de vache.

Mais au cuisinier imaginatif, quel support de choix que la tarte à garnir, à parfumer, à aromatiser, où se marient légumes et fromage, fruits de mer et fromage, jambon et fromage, etc., sans oublier toute la gamme des tartes au fromage blanc, sucrées ou salées. Une encyclopédie ne suffirait pas à en réciter l'inventaire. Contentons-nous de quelques suggestions.

**Pour garnir
une croûte cuite à blanc**

• pointes d'asperges à la béchamel et petits copeaux de Comté ;
• purée d'oignons et Emmental grossièrement râpé ;
• rondelles de courgettes étuvées, béchamel et Parmesan ;
• épinards en branche, œufs sur le plat et brebis sec ;
• champignons et foies de volaille sautés, sauce Madère et miettes de Bleu d'Auvergne.

Une recette utilisant une

Croûte en feuilletage

Faire fondre au beurre 5 ou 6 poireaux finement émincés, lier avec de la crème fraîche épaisse et faire réduire jusqu'à consistance épaisse ; garnir la croûte cuite à blanc, parsemer de Roquefort écrasé avec un peu de fromage blanc ; passer à four chaud pendant 8 à 10 min.

Une fameuse recette, qui fera très bel effet en entrée ou comme plat principal.

Tarte marine gratinée

Pour 6 personnes :
300 g de pâte brisée
50 g de beurre, sel, poivre
200 g de ciboules nettoyées et émincées
150 g de miettes de crabe au naturel
150 g de queues de crevettes
150 g de Port-Salut
25 g de Gruyère râpé
3 œufs entiers et 1 jaune
Crème fraîche, vin blanc, concentré de tomate

Abaisser la pâte et en garnir un moule à tarte de 25 cm de diamètre environ. La faire cuire à blanc pendant une dizaine de minutes. Pendant ce temps, faire revenir les ciboules sur feu doux sans coloration avec le beurre. Ajouter la chair de crabe (bien débarrassée de tout cartilage) et les crevettes. Verser 2 cuillerées à soupe de vin blanc et laisser frémir pendant 4 à 5 min. Par ailleurs, battre ensemble les œufs entiers, le jaune, 15 cl de crème fraîche et une cuillerée à soupe de concentré de tomate. Saler et poivrer. Ajouter cette préparation au mélange précédent. Disposer sur le fond de tarte les lamelles de Port-Salut, verser la garniture par-dessus, poudrer de Gruyère et faire cuire pendant 35 min environ à 180 °C. Servir chaud, avec le dessus bien doré.

Suggestion de menu : avant, crème de tomate aux petits croûtons ; après, salade frisée et petits crottins chauds, puis pommes au four parfumées au miel.

Au siècle du barbecue et de la cuisine rapide, les brochettes, même quand elles ne sont pas au fromage, sont une des formules les plus diversifiées et les plus plaisantes. Mais le fromage sait aussi s'y glisser avec beaucoup d'esprit. Témoin ces :

Brochettes en habit

Pour 8 brochettes :
8 cubes de Cantal mi-affiné (25 g environ chaque)
16 cubes de Morbier (même poids)
4 Crottins de Chavignol pas trop frais
8 belles feuilles d'oseille
8 belles feuilles d'épinard
16 languettes fines de jambon de pays
16 cubes d'ananas frais

Envelopper chaque cube de Cantal dans une feuille d'oseille, chaque cube de Morbier dans une languette de jambon, chaque demi-crottin dans une feuille d'épinard.

Garnir les brochettes en intercalant les cubes d'ananas. Faire cuire sous le gril du four ou sur un barbecue pendant deux minutes et déguster aussitôt, avec du pain de seigle.

On peut imaginer d'autres variations, selon les goûts :
• Chester, Édam et Camembert (toujours avec oseille, épinard et jambon de pays, ce dernier pour l'Édam) ;
• Carré de l'Est, Saint-Nectaire et Comté ;
• Olivet, Tomme de Savoie et Beaufort ;
• Fribourg, Pont-l'Évêque et Chabichous, etc.

On peut également remplacer les cubes d'ananas par des tomates-cerises ou des petits cœurs d'artichaut, des quartiers de pommes ou de poires.

Suggestion de menu pour intégrer ces brochettes : tabouflé à la libanaise et salade de poulet à la laitue et aux tomates, salade de fruits exotiques.

Les fromages frais ont l'avantage de se prêter autant aux apprêts salés que sucrés, aux entrées qu'aux desserts.

Jamais difficiles à réaliser, les mélanges à base soit de fines herbes, soit de fruits ou de parfums divers, sont toujours réussis.

Ananas frais aux deux fruits

Pour 4 personnes :
1 ananas de taille moyenne et 2 kiwis
200 g de framboises, fraîches ou surgelées
4 Petits-Suisses
80 g de sucre semoule
200 g de crème fraîche
1 cuillerée à soupe de sucre glace

Couper l'ananas en deux dans le sens de la longueur. Retirer le cœur fibreux et dur ; extraire la pulpe. Sécher les demi-ananas évidés avec du papier absorbant et les mettre dans le freezer pendant environ 60 min. Pendant ce temps, réduire la chair d'ananas au mixer en purée, en ajoutant les Petits-Suisses et les framboises (sauf une douzaine pour le décor final). Sucrer au goût. Remplir les demi-ananas de cette préparation et les remettre au freezer pendant au moins deux heures. Pour servir, fouetter la crème en chantilly avec le sucre

Et même quand on ne dispose que du minimum :

Pain perdu à la niçoise

Dans un grand plat à gratin beurré, disposer une couche de tranches de pain de mie légèrement rassis, beurrées. Poudrer largement de tomme de brebis sèche. Recouvrir d'une seconde couche de tranches de pain également beurrées et poudrer une seconde fois de fromage, aussi largement.

Il vous faut grosso modo 500 g de pain et 300 g de fromage.

Emplir ainsi le plat à gratin en alternant les ingrédients. Dans un bol, battre rapidement trois œufs entiers avec du sel et du poivre, deux cuillerées à soupe de sauce tomate épaisse et une cuillerée à soupe de basilic. Verser ce mélange dans le plat garni. Poudrer encore une fois de fromage et faire cuire pendant 20 minutes à four chaud. Pendant les 2 ou 3 dernières minutes, faire glacer le tout en rapprochant le plat de la rampe du gril. Servir brûlant avec une salade de mesclun.

glace. Décorer les demi-ananas garnis avec une poche à douille cannelée pleine de chantilly. Ajouter ensuite les framboises entières et les rondelles de kiwis pelées.

Suggestion de menu pour avant : œufs en ramequins à l'estragon, darnes de saumon grillées et purée de fenouil au cerfeuil, plateau de fromages (Brie, Entrammes, Selles-sur-Cher et fromages des Chaumes).

3. Avec un zeste de génie...

Soyons modestes et restons simples : il faut bien avouer que le fromage, de par la diversité des saveurs qu'il recèle et des textures qu'il peut adopter, est l'ingrédient idéal pour séduire l'imagination du cuisinier, depuis l'entrée jusqu'au dessert.

À preuve les recettes qui suivent, toutes créations originales, proposées, pour mieux les mettre en valeur, dans un menu dont nous suggérons les autres plats.

Petites soupières hollandaises

Pour 4 soupières individuelles :
2 oignons, 4 ou 5 branches de céleri,
2 tomates
Sel, poivre, poivre de Cayenne
120 g de pain de campagne rassis en tranches très fines
80 g de pain d'épices
80 g de Gouda mi-étuvé
80 g de Gouda au cumin
Beurre, crème fraîche

Peler et hacher les oignons et les branches de céleri effilées. Faire étuver le tout dans un peu de beurre sur feu doux dans une casserole en remuant ; ajouter les tomates en rondelles (pelées) ; saler, poivrer et relever de Cayenne.

Laisser réduire sur feu modéré, puis ajouter 1 bon litre d'eau, couvrir et laisser mijoter pendant 15 min. Répartir dans les soupières le pain de campagne mélangé avec le pain d'épice ; ajouter par-dessus le Gouda mi-étuvé en fines lamelles. Ajouter deux cuillerées à soupe de crème fraîche dans la soupe, remuer et la verser dans les soupières. Ajouter alors les lamelles de Gouda au cumin. Remuer légèrement et glisser les soupières au four pendant 6 à 7 min. Servir aussitôt.

Suggestion de menu pour suivre : dorade au four et ratatouille, fromage frais, tarte aux prunes.

Pudding Passelan

Pour 4 personnes :
60 g de Passelan sec râpé (de Parmesan ou de Beaufort)
50 cl de lait
6 gros jaunes d'œufs
2 cuillerées à café de gélatine en poudre
2 tasses à café de crème fraîche épaisse
1 laitue et 2 tranches de jambon blanc fines

Faire chauffer le lait dans une casserole sur feu modéré en en réservant une cuillerée à soupe. Lorsqu'il arrive au point d'ébullition, y incorporer les jaunes d'œufs battus en omelette et remuer régulièrement à la spatule sur feu doux jusqu'à ce que le mélange nappe, sans bouillir. Retirer du feu et laisser refroidir en remuant de temps en temps. Faire dissoudre la gélatine dans le reste de lait froid, puis l'ajouter dans la préparation précédente quand elle est froide. Incorporer, toujours en remuant, le fromage râpé, puis la crème fraîche préalablement fouettée. Verser cette préparation dans un moule à savarin légèrement huilé et mettre le tout au réfrigérateur pendant au moins deux heures. Préparer une chiffonnade de laitue (feuilles lavées épongées et taillées en filaments) et la mélanger avec de fines languettes de jambon blanc. Arroser cette préparation d'un filet d'huile de tournesol et d'un jus de citron, saler et poivrer. Remuer. Démouler le pudding sur un plat rond et disposer la chiffonnade de laitue au jambon au milieu. Servir frais en entrée.

Suggestion pour le menu : sauté de veau aux aubergines, plateau de chèvres (frais, mi-sec et sec), salade de fruits rouges.

Cocktail de crevettes Taille Fine

Pour 2 personnes :
300 g de fromage blanc à 0 % de M. G. (de consistance granuleuse, genre « Cottage Cheese »)
200 g de queues de crevettes roses décortiquées
Huile de tournesol, purée de tomate et moutarde douce
2 œufs durs, persil frais, sel, poivre
1 pamplemousse rose

Couper les queues de crevettes en petits morceaux et les incorporer au fromage blanc. Par ailleurs, mélanger intimement dans un bol 1 bonne cuillerée à soupe de purée de tomate, autant de moutarde et 2 cuillerées à soupe d'huile ; saler, poivrer et émulsionner vivement. Éplucher le pamplemousse et extraire tous les quartiers ; les débarrasser de leur peau. Écaler les œufs durs, les couper en quartiers et laver le persil. Mélanger vivement le fromage blanc aux crevettes et la sauce d'assaisonnement. Répartir ce « cocktail » dans deux coupes en verre ; ajouter en garniture les quartiers d'œufs durs et les quartiers de

pamplemousse ; compléter avec le persil. Servir très frais.

Suggestion de menu pour la suite : cuisses de poulet aux courgettes à la vapeur, Tomme de Savoie maigre et Knäckebrot au cumin, sorbet à l'ananas.

Gratin de riz du fromager

Pour 6 personnes :
125 g de Cantal vieux râpé
125 g de Saint-Nectaire en fines lamelles
400 g de riz complet cuit

Sel, poivre noir, menthe fraîche
1 tasse de lait
60 g de chapelure
50 g de beurre frais, 1 citron
100 g de champignons de couche

Laver, émincer et citronner les champignons (après avoir râpé le zeste et mis celui-ci de côté). Beurrer un plat à gratin et y disposer une couche de riz cuit. Couvrir d'une couche de fromage (en mélangeant les deux fromages), saler et poivrer. Ajouter un hachis de menthe fraîche. Emplir le plat en continuant d'alterner les couches. Tasser légèrement après avoir arrosé le tout de lait. Disposer sur le dessus les lamelles de champignons. Parsemer de chapelure mélangée avec le zeste de citron râpé. Disséminer quelques parcelles de beurre. Faire cuire pendant 25 min environ au four à 180-200 °C.

Servir avec une salade de batavia assaisonnée d'une vinaigrette à la moutarde.

Suggestion pour le menu qui suit : foies de volaille sautés et purée d'épinard, oranges givrées.

Tartelettes au Bleu florentines

Pour 4 personnes :
2 petites croûtes à tartelette en pâte feuilletée par personne
250 g de Bleu d'Auvergne et une tasse à café de Porto
2 tasses à thé de bouillon de volaille
100 g de crème fraîche
Noix de muscade, poivre blanc

250 g d'épinard haché
Cerfeuil, beurre frais

Mettre les croûtes à tartelette à four doux. Par ailleurs, faire réchauffer les épinards hachés dans un peu de beurre. Dans une autre casserole, verser le Porto, mettre sur feu vif pour faire réduire d'un tiers, puis ajouter le Bleu d'Auvergne en petits morceaux. Remuer pour faire fondre, puis ajouter le bouillon de volaille. Faire réduire à nouveau jusqu'à consistance épaisse et onctueuse. Poivrer et muscader puis incorporer la crème fraîche. Réserver au chaud.

Remplir les tartelettes chaudes d'une couche d'épinard égoutté, puis napper largement avec la crème au bleu. Parsemez de cerfeuil haché et servir très chaud (remettre quelques instants sous la rampe du gril). Si la sauce était trop liquide : l'épaissir avec un roux blanc.

Suggestion de menu pour la suite : poulet sauté aux cèpes, salade de pissenlit, plateau d'Auvergne (Cantal, Roquefort et Murol), œufs à la neige au caramel.

Tarte Belle des Champs

Pour 5 à 6 personnes :
250 g de pâte feuilletée
230 g de Belle des Champs écroûté
2 œufs entiers, sel fin
1 cuillerée à soupe rase de sucre
1 cuillerée à café de gingembre en poudre
1 mesure de safran

Abaissez la pâte feuilletée sur 3 mm d'épaisseur et garnissez-en un moule à tarte de 25 cm de diamètre environ. Faites cuire cette croûte à blanc pendant une dizaine de minutes à 220 °C et laissez-la refroidir. Pendant ce temps, faites fondre le fromage en morceaux, au bain-marie, en remuant doucement (on peut ajouter éventuellement un petit peu de crème fraîche s'il n'est pas assez tendre). Ajoutez ensuite les œufs battus en omelette, le sucre et les épices ; remuez intimement, ajoutez une pincée de sel et versez cette garniture sur le fond de tarte. Faites cuire à four modéré (180 °C), pendant 20 à 25 min jusqu'à ce qu'elle soit bien dorée et gonflée. Servez en entrée chaude, ou bien en dessert, tiède.

Suggestion de menu
• Si la tarte est servie en entrée : rôti de dindonneau, salade composée (Édam et champignons, tomates, salade) et mousse au citron.
• Si la tarte est servie en dessert : champignons à la grecque, endives au jambon gratinées et salade de chicorée frisée.

Pudding Céladon

Un concombre de 350 g environ
Sel fin et poivre noir
2 cuillerées à soupe de vinaigre d'estragon
15 g de gélatine en poudre
3 dl de crème épaisse
500 g de fromage frais (de vache ou de chèvre)
Ciboulette, persil et petits oignons nouveaux

Peler le concombre et le détailler en très fines rondelles. Saupoudrer de sel, arroser de vinaigre et laisser dégorger au frais pendant 45 min. Presser le tout dans un torchon.
Faire égoutter également le fromage frais s'il est trop mou. Faire dissoudre la gélatine dans 6 cuillerées à soupe d'eau très chaude, puis ajouter la crème et remuer jusqu'à consistance très épaisse. À part, écraser le fromage à la fourchette dans une terrine et y ajouter le concombre, puis la crème mêlée de gélatine. Incorporer ensuite au goût une bonne proportion de fines herbes et de petits oignons finement hachés, avec leur vert. Rectifier l'assaisonnement en poivre. Verser le tout dans un moule à savarin légèrement huilé et réserver pendant une nuit au réfrigérateur. Servir en entrée froide avec de fines tranches de pain aux sept céréales, de fines tranches d'avocat citronnées et du vin blanc bien sec.

Le menu dans lequel prend place cette recette ne doit pas être ensuite trop « chargé » : truites en papillotes aux champignons et sorbet aux fruits de la Passion, par exemple.

Crêpes farcies Armor

Pour farcir 8 crêpes :
De préférence des crêpes de sarrasin
300 g environ de maquereau fumé, dépouillé
Beurre et crème fraîche, purée de raifort

utilisée froide pour tartiner des canapés ou chaude pour garnir des tartelettes.

Suggestion de menu après les crêpes : sauté de lapin aux oignons et petites pommes de terre dorées, plateau de fromages (Reblochon, Saint-Marcellin, Feuille de Dreux et Comté), glace au café et au rhum.

Paupiettes de merlan au fromage

8 filets de merlan
Citron, sel, poivre, persil
Moutarde forte, crème fraîche, beurre
4 tranches de pain de mie rassis
240 g de fromage des Chaumes écroûté

Faire d'abord mariner les filets de merlan dans du jus de citron avec du sel et du poivre pendant un bon quart d'heure en les retournant deux ou trois fois. Les égoutter et les éponger. Les tartiner chacun sur une face d'une légère couche de moutarde, poivrer. Poser ensuite sur chaque filet ainsi moutardé une portion de fromage (30 g). Rouler les filets et les maintenir avec un petit bâtonnet. Les ranger dans un plat à four beurré. Réduire en miettes le pain de mie et le mélanger avec un petit bouquet de persil haché. Arroser les paupiettes de poisson avec 2 cuillerées à soupe de crème fraîche mélangées avec un yaourt nature au lait entier. Parsemer de persillade, puis de quelques parcelles de beurre.

Jus de citron, poivre, sel
150 g de fromage fondu goût fumé

Désarêter soigneusement le poisson fumé et le réduire en purée au mixer en ajoutant un peu de jus de citron ; par ailleurs, faire fondre le fromage dans un petit poêlon en ajoutant un peu de beurre ; saler et poivrer. Mélanger les deux préparations. Faire chauffer les crêpes (mises entre deux grandes assiettes, empilées, posées sur une casserole pleine d'eau en ébullition). Les farcir de la crème de maquereau au fromage et les rouler. Les napper de crème fraîche additionnée de Raifort. Servir en entrée.

La préparation poisson-fromage peut également être

Faire cuire à four modéré pendant 25 min environ et servir aussitôt.

Suggestion de menu : avant, avocats farcis ; en garniture du plat de poisson, brocoli aux fines herbes ; comme plateau de fromages, Brie, Bleu de Bresse et Tomme des Pyrénées ; comme dessert, crème caramel et langues de chat.

Filets de cabillaud à la Mimolette

Pour 4 personnes :
4 filets de cabillaud de 180 g chacun
vin blanc sec, beurre frais, 1 citron
1 gros oignon et 2 échalotes
4 tomates, persil plat
120 g de Mimolette, crème fraîche

Beurrer un plat allant au four. Hacher très finement l'oignon et les échalotes pelés. Peler également les tomates et concasser la pulpe. Tapisser le plat de cette préparation en ajoutant 2 cuillerées à soupe de persil haché. Disposer par-dessus les filets de cabillaud, tête bêche, en oblique. Saler, poivrer et arroser de vin blanc (un bon verre environ).

Couvrir le plat d'une feuille de papier sulfurisé et faire cuire à four très chaud pendant environ 15 min. Retirer les filets de poisson du plat et le réserver au chaud. Verser toute la cuisson dans une casserole en la passant au chinois. Ajouter le fromage finement râpé sur feu doux, tout en remuant à la spatule. Faire fondre doucement en ajoutant petit à petit 2 cuillerées à soupe de crème fraîche. Rectifier l'assaisonnement. Disposer les filets de poisson sur des assiettes de service chaudes et napper de sauce. Servir aussitôt.

Comme garniture, proposer des épinards en branche.

Suggestion de menu : avant, salade de betteraves à l'orange ; après, plateau de fromages

(Caprice des Dieux, Olivet bleu, Feuille de Dreux et Comté), puis savarin à la crème pâtissière.

Lotte au Morbier

Pour 4 personnes :
800 g de queue de lotte
125 ml de crème fraîche épaisse
2 cuillerées à soupe de bisque de homard en boîte
100 g de crevettes décortiquées
100 g de champignons de couche
150 g de Morbier
125 ml de vin blanc sec
50 g de beurre et 4 échalotes grises

Dans une grande casserole profonde, faire fondre les échalotes pelées et hachées dans le beurre. Ajouter la lotte coupée en tronçons. Saler et poivrer (on peut ajouter éventuellement un petit tronçon d'écorce d'orange séché). Ajouter le vin blanc, la bisque de homard et les champignons lavés et hachés. Laisser mijoter pendant 10 min à la limite de l'ébullition. Ajouter ensuite les crevettes, laisser cuire pendant encore 3 min, puis incorporer la crème fraîche et le Morbier découpé en petits cubes. Rectifier l'assaisonnement et verser tout de suite l'apprêt dans un plat creux bien chaud. Servir avec du riz nature juste beurré (éventuellement safrané).

Suggestion de menu : avant, poireaux à la vinaigrette ; après, plateau de fromages (Broccio corse, Boursault, Entrammes et Beaufort), puis crème au citron et meringues.

Paupiettes à la franc-comtoise

6 belles feuilles de chou vert de Milan
6 tranches de Morbier écroûté
6 blancs de poulet sans peau, désossés
Baies de genièvre, sel, poivre
Beurre frais, crème fleurette

Faire blanchir les feuilles de chou en les plongeant pendant quelques minutes dans une grande quantité d'eau bouillante jusqu'à ce qu'elles soient bien tendres ; les égoutter et les éponger soigneusement ; reti-

rer le bas de la nervure centrale, trop dur. Écraser par ailleurs les baies de genièvre avec un rouleau à pâtisserie. Sur chaque feuille de chou, poser une tranche de Morbier, puis un blanc de poulet. Saler, poivrer, parsemer de genièvre écrasé. Rouler les paupiettes en enfermant bien la garniture. Les ficeler éventuellement.

Les disposer dans un plat à gratin beurré. Faire cuire pendant 45 min au four à 220 °C, en couvrant le plat de papier d'aluminium. Dix minutes avant de servir, retirer le papier, arroser de crème fleurette et remettre à four chaud. Servir dans le plat de cuisson.

Suggestion de menu : avant, potage au potiron ; après, salade de courgettes, Roquefort, puis tarte au citron.

Côtes de veau au Beaufort

Pour 4 personnes :
4 côtes de veau
Beurre, sel, poivre, paprika
5 cl de Porto
80 g de Beaufort
4 cuillerées à soupe de fromage blanc à 0 % de M.G.
1 petit bouquet de cerfeuil haché

Faire fondre 40 g de beurre dans une grande poêle et y mettre à dorer les côtes de veau sur les deux côtés, sans hâte.

Quand elles sont bien colorées, les égoutter et les disposer dans un plat allant au four. Verser le Porto dans la poêle de cuisson et remuer avec une spatule sur feu assez vif, en ajoutant le Beaufort coupé en très fines lamelles ; quand il a entièrement fondu, ajouter le fromage blanc ; saler, poivrer et ajouter une bonne pincée de paprika. Napper les côtes de veau de cette sauce et mettre le plat au four à 180 °C pendant une dizaine de minutes. Parsemer de pluches de cerfeuil et servir dans le plat, très chaud. Proposer comme garniture des champignons sautés.

Suggestion de menu : pour commencer, des poivrons farcis au fromage frais aux fines herbes ; après le plat principal, une tarte à la rhubarbe.

Escalopes de dinde Saint-Nectaire

Pour 4 personnes :
4 escalopes de dinde de 120 g chacune environ
4 fines tranches de jambon de pays
120 g de Saint-Nectaire écroûté
Poivre, sel, crème fraîche
Estragon et poudre de cari doux

Battre les escalopes si elles sont très charnues pour bien les aplatir. Placer chaque escalope au centre d'un carré de feuille d'aluminium légèrement huilé. Sur chaque escalope poivrée et légèrement salée, poser d'abord 30 g de Saint-Nectaire en lamelles, puis la tranche de jambon, un peu de crème fraîche, une très légère pincée de cari et quelques feuilles d'estragon.

Rabattre les escalopes en deux, en prenant soin de ne pas faire glisser la garniture, puis refermer les papillotes et les ourler pour les fermer. Faire cuire à four chaud pendant 40 à 45 min. Laisser chaque convive ouvrir sa papillote dans son assiette. Servir en accompagnement un gratin dauphinois.

Suggestion de menu : salade de concombre au yaourt et à la menthe pour commencer ; après le plat, Fourme d'Ambert macérée au Porto, puis soupe de fruits au vin rouge.

——— 4. ... Et un grain d'astuce ———

Sus aux restes

Un amateur de fromages ne laisse pas longtemps subsister sur son plateau ou dans le bac à légumes de son réfrigérateur des rogatons aussi peu appétissants qu'inesthétiques. Avant d'en arriver à cette extrémité, procédez à un nettoyage par le vide et préparez des **croûtes à la bourguignonne**, que vous servirez en entrée ou en amuse-gueule à l'apéritif.

Réunissez tous vos restes de fromages (sauf du fromage blanc), sans oublier éventuellement le sachet de râpé à moitié entamé.

Écroûtez soigneusement les pâtes cuites et pressées, ainsi que les croûtes lavées (ou même molles, si elles sont trop durcies). N'oubliez pas non plus des restes de fromage de chèvre soit coulants, soit trop durs. Râpez et émiettez tous ces fromages, puis incorporez au mélange obtenu le quart de son poids en beurre frais (ou un peu moins). Malaxez à la fourchette en ajoutant en filet un peu d'huile d'olive et de vin blanc très sec. La pâte obtenue doit être dense, mais pas trop compacte ni trop fluide. Salez très modérément et poivrez au goût. On peut ajouter du persil haché ou de l'estragon frais. Evitez la ciboulette ou l'ail. Goûtez et rectifiez l'assaisonnement.

Tartinez de cette pâte des toasts très légèrement rassis et passez à four très chaud pendant 5 à 6 min. Servez avec un vin rouge assez corsé.

Pas si frais...

Les amateurs de Chèvres ont souvent des préférences bien marquées pour tel ou tel degré d'affinage. Si vous aimez le Chèvre pas trop frais, sans doute aimerez-vous lui trouver une autre utilisation que le plateau, s'il vous semble trop blanc et tendre. Voici une très agréable recette d'été :

Pour 4 personnes :
Un Chèvre genre Sainte-Maure mi-frais

Un concombre
Sel et poivre blanc
100 g de saumon fumé
Huile de tournesol
Vinaigre de vin blanc

Pelez le concombre et détaillez la pulpe en très fines rondelles ; poudrez-les de sel et faites dégorger au frais.

Préparez une vinaigrette assez légère, non salée. Coupez le Chèvre en rondelles assez épaisses.

Pressez le concombre pour en exprimer le jus. Répartissez-le sur quatre assiettes de service ; ajoutez pardessus plusieurs rondelles de Chèvre, puis quelques languettes de saumon fumé. Arrosez légèrement de vinaigrette. Ajoutez deux ou trois tours de moulin à poivre. Servez bien frais en hors-d'œuvre, avec un vin blanc sec (Pouilly-sur-Loire par exemple).

... De nécessité vertu et de vertu plaisir !

Mangeons du fromage, c'est la santé ! Mais il y a des occasions où l'on est loin de tout magasin correctement approvisionné et où la gamme des fromages présentés dans les bacs réfrigérés est d'une originalité désarmante. Vous repartez avec un morceau d'Emmental, un Camembert, un Bleu de Bresse et des Petits-Suisses...

Renoncez au plateau de fromages et préparez un **dessert au fromage.**

Pour 5 ou 6 personnes :
100 g d'Emmental (ou de Cantal, ou de Pyrénées)
150 g de Camembert (ou de Brie, ou de Chaource)
50 g de Bleu de Bresse (ou de Roquefort)
200 g de Petits-Suisses (ou de carrés demi-sel)
Paprika

Râpez l'Emmental (ou émiettez le Cantal, voire le Pyrénées). Versez-le dans le bol d'un mixer ; ajoutez le Camembert (ou équivalent) légèrement écroûté et découpé en morceaux, puis le bleu, également écroûté et fragmenté. Mixez rapidement pendant quelques minutes, en réalisant un mélange homogène mais pas fluide. Incorporez en fouettant à la main 150 g de Petits-Suisses. Répartissez le mélange dans des ramequins en porcelaine et réservez-les au réfrigérateur pendant 2 heures. Au moment de servir, ajoutez une touche de petit-suisse et poudrez de paprika.

Servez ces petits pots au fromage avec des biscuits écossais sablés ou des petites galettes à la farine d'avoine.

Halte au Brie qui coule !

Un Brie qui se respecte ne coule pas. Si par aventure, le Brie que vous destiniez au plateau de la fin du repas menace de se répandre, halte-là ! Trouvez-lui aussitôt une destination pâtissière avec les **galettes briardes.**

Il vous faut :
500 g de farine de froment
120 g de beurre
150 g de Brie « coulant »
2 gros jaunes d'œufs
Sel, poivre blanc, noix de muscade

Disposez la farine tamisée en fontaine. Incorporez le beurre en petites parcelles, comme pour une pâte à foncer, puis le Brie (débarrassé de sa croûte au talon), en réalisant un mélange homogène. Ajoutez l'un après l'autre les jaunes d'œufs et mélangez intimement. Salez, poivrez et ajoutez une pointe de noix de muscade râpée. Laissez reposer cette pâte au frais pendant une heure et demie, puis abaissez-la avec un rouleau à pâtisserie sur une épaisseur de 6 à 8 mm environ. Avec un verre, découpez-y des rondelles ; le diamètre sera de 6 à 7 cm environ (ou un peu plus petit pour les dernières « chutes » remalaxées ensemble). Avec un pinceau, badigeonnez d'un peu de lait le dessus des galettes, puis faites-les cuire au four sur une tôle beurrée, à chaleur modérée jusqu'à ce qu'elles soient dorées. Servez-les avec des fruits frais, ou en accompagnement d'une salade composée.

Le meilleur moyen de redonner vie à une pointe de Brie sans caractère

Le Brie « laitier » offre parfois le grave défaut de manquer de goût et d'avoir une consistance peu souple...
La solution qui s'impose dans ce cas est de s'en servir pour confectionner des petites galettes. Baptisez-les en toute simplicité **« délices briards »** et vous passerez pour une grande spécialiste des délicieuses recettes oubliées du fin fond de nos provinces !

Pour 150 g de Brie, il faut compter :
250 g de farine tamisée
80 g de beurre
2 jaunes d'œufs
Sel, noix de muscade

Écroûtez légèrement le Brie et coupez-le en petits cubes. Ajoutez-leur le beurre en petites parcelles et mélangez. Versez la farine en fontaine. Incorporez le mélange précédent en « fraisant » la pâte entre vos mains ou en vous aidant d'une fourchette. Ajoutez ensuite les œufs battus pour lier. Mélangez intimement, salez et muscadez largement. Laissez reposer le pâton pendant 2 heures, puis abaissez-le au rouleau sur une épaisseur de 8 mm environ. Avec un emporte-pièce rond cannelé (ou un couvercle de boîte métallique), découpez-y des galettes de 6 cm de diamètre. Rangez celles-ci sur une plaque légèrement beurrée. Passez-les légèrement au pinceau humecté de lait. Faites cuire au four à chaleur mi-moyenne jusqu'à ce qu'elles soient bien dorées.

Servez ces «délices » comme crackers avec le plateau de fromages ou bien encore chauds, avec une salade de chicorée ou de pissenlit aux lardons.

—— Camembert et pâtes fraîches, —— pour joindre l'utile et l'agréable

Si vous aimez les pâtes fraîches, genre tagliatelle ou nouilles plates, mais que la sauce tomate vous paraît trop peu originale et que vos connaissances en cuisine italienne sont limitées : voici une excellente recette qui a le mérite de trouver un superbe contre-emploi à un Camembert qui n'est pas au mieux de sa forme. Vous pouvez même tranquillement choisir un Camembert « en promotion ».

Pour 4 personnes, il vous faut :
1 Camembert de 250 g
Poivre noir au moulin
150 g de champignons finement émincés
2 cuillerées à soupe de crème fraîche
1 petit bouquet de persil plat haché

Écroûter rapidement le camembert et le couper en morceaux réguliers pas trop petits. Mettre ceux-ci dans un petit poêlon et faire chauffer sur feu très doux, en remuant. Lorsque la masse commence à fondre, donner trois ou quatre tours de moulin et incorporer la moitié du persil ; remuer régulièrement pour bien faire fondre le fromage et obtenir une consistance homogène. Ajouter les champignons et faire chauffer pendant deux ou trois minutes. Réserver sur feu doux.

Faire cuire les pâtes fraîches dans une grande quantité d'eau bouillante et les égoutter à fond. Ajouter la crème fraîche dans le poêlon et amener à la limite de l'ébullition. Verser les pâtes fraîches dans un légumier très chaud, napper de sauce, parsemer de persil et servir aussitôt.

On peut remplacer les champignons par des cerneaux de noix grossièrement hachés ou de très fines languettes de jambon.

Emmental pré-emballé ? Et alors ?

Votre liste d'emplettes portait en toutes lettres : 250 g d'Emmental. Votre jeune fils, parti faire les commissions, a rapporté un parfait rectangle pré-emballé pesant très exactement 250 g. Remerciez-le gentiment de s'être montré serviable et utilisez ce Gruyère pour réaliser des **frittelles au persil.**

Il vous faut en outre :
du lait, des œufs, de la chapelure et un bain d'huile bouillante, de la farine et du paprika.

Couper le morceau d'Emmental en tronçons de 6 ou 7 cm de long sur 1 cm d'épaisseur. Les faire tremper pendant une heure dans du lait froid. Les égoutter puis les passer dans la farine. Les rouler ensuite un par un dans deux œufs battus, et enfin les passer dans la chapelure, en appuyant légèrement pour que celle-ci adhère et que les bâtonnets soient bien enrobés. Plonger les frittelles dans un bain d'huile bouillante et les laisser juste cuire une minute.

Quand ils sont dorés, les égoutter et les servir avec des petits bouquets de persil frisé, en entrée chaude ou à l'apéritif, ou encore avec une salade verte.

Une élégante façon d'éviter la boulette...

La Boulette d'Avesnes est un fromage dont la pâte aromatisée au persil, à l'estragon et au poivre, affinée trois mois, possède une saveur et une odeur dont la violence peut rebuter l'amateur. Si l'excès de vieillissement lui a donné cette agressivité redoutable pour la compagnie d'autres fromages sur un plateau, réservez-lui un traitement à part. Faites-en une **omelette**...

Pour 4 personnes :
1 Boulette d'Avesnes

100 g de beurre
8 œufs bien frais
Sel et poivre
Estragon frais

Écroûtez soigneusement la Boulette d'Avesnes, notamment au niveau du talon, et découpez-la en fragments. Mettez ceux-ci dans un petit poêlon avec 50 g de beurre. Laisser fondre très doucement en remuant avec une spatule de bois. Lorsque le mélange est homogène et bien ramolli, réservez au chaud. Cassez les œufs, battez-les, assaisonnez et faites cuire l'omelette dans une grande poêle avec le reste de beurre. Lorsque les œufs sont bien pris, versez dessus le fromage fondu et roulez l'omelette sur le plat de service. Parsemez d'estragon frais et servez brûlant. On peut également napper l'intérieur de l'omelette de la moitié de la préparation et versez le reste sur l'omelette quand elle est roulée.

Pour sauver du désastre un Coulommiers « limite »

Votre Coulommiers dégage une bonne odeur franche et un bouquet agréable, mais vous sentez, au doigt, que la pâte, un peu trop souple, risque de couler lamentablement dès l'entame.

Une solution : le « travestir » et le réserver au frais, pour le servir en fromage unique. Ainsi, vous avez toutes les chances de ne pas avoir de restes ! L'écroûter légèrement, surtout sur les bords, mais sans l'entamer. Avec la pointe d'un couteau, tracer des rayons à la surface, de manière à obtenir huit portions égales :

Pour un Coulommiers de 500 g , cela donne des portions de 60 g environ. Sur ces huit portions, répartir, en les alternant, les parfums et les condiments suivants :
Persil plat finement haché
Amandes effilées
Raisins de Corinthe
Graines de pavot
Cerneaux de noix hachées
Paprika doux
Jambon fumé finement haché
Olives vertes dénoyautées et hachées

Une fois les condiments appliqués à la surface du fromage en suivant les portions triangulaires, le réserver au frais jusqu'au moment de servir.

Il est recommandé de presser légèrement en surface pour bien faire adhérer les ingrédients, et de ne pas ménager ceux-ci. La couche de persil, de pavot, de jambon ou d'olives, notamment, ne doit pas être parcimonieuse.

Enfin, prévoir pour le service quelques coupelles garnies de ces ingrédients, pour pouvoir éventuellement faire d'autres mariages dans son assiette.

Récupérer un Chèvre avec un zeste d'imagination

Le Montrachet, le Valençay, le Selles-sur-Cher ou le Pouligny sont des fromages de chèvre que l'on sert volontiers mi-frais. Ils doivent alors, pour figurer à leur juste place sur un plateau, avoir une pâte souple, dégager une odeur légèrement caprine et promettre une saveur douce et crémeuse.

Avez-vous peur que votre chèvre ne se révèle friable et piquant de goût ? Dans ce cas, pas d'hésitation, travestissez-le...

Pour 4 personnes :
1 Valençay, 2 Selles-sur-Cher ou 2 Montrachets
2 cuillerées à soupe de crème double
1 cuillerée à soupe de thym séché
1 demi-cuillerée à café de poivre concassé
1 demi-citron
1 cuillerée à soupe de jus de citron
Quelques feuilles de basilic ou d'estragon

Couper le fromage en cubes et les écraser en leur incorporant la crème fraîche avec une fourchette. Passer rapidement au mixer pour obtenir un mélange homogène, tout en ajoutant le thym, le poivre et le zeste finement râpé du demi-citron. Mettre quelques instants au réfrigérateur, puis ajouter le jus de citron et le basilic ciselé. Remettre au frais et servir dans une coupe de service avec des crackers et des biscuits à l'avoine, en amuse-gueule avec un vin aligoté ou un Beaujolais.

Trop de restes ? Faites-en une symphonie pour macaroni

Vous avez reçu à dîner plusieurs amis et vos achats de fromages se sont révélés trop importants. Abondance de biens ne nuit jamais, mais vous cherchez une utilisation rapide pour ne pas « traîner » pendant trop longtemps les mêmes fromages sur votre plateau. Inspirez-vous de la cuisine italienne, qui sait marier les saveurs dans des sauces pour les pâtes onctueuses et parfumées. Les « macaroni aux quatre fromages » (Fontina, Mozzarella, Parmesan et Gorgonzola) sont presque devenus un classique. Imaginons qu'il vous reste :

Soit de la Fourme, du Saint-Paulin, de la Tomme des Pyrénées et du Beaufort...

Soit du Bleu, du Saint-Marcellin, du Reblochon et du Comté...

Soit du Chèvre, du Brie, de l'Emmental et du Cantal...

C'est largement suffisant pour votre symphonie !

Pour 4 personnes :
50 g de beurre
50 g de farine
50 cl de lait
100 g de Bleu (de Fourme ou de Chèvre)
120 g de Saint-Paulin (de Reblochon ou de Brie)
80 g de tomme (de Saint-Marcellin ou de Cantal)
100 g de Beaufort (de Comté ou d'Emmental)
Sel, poivre, noix de muscade, paprika
250 g de macaroni

Écroûtez les fromages qui le demandent ; râpez ceux qui sont à pâte ferme et coupez les autres en petits fragments. Préchauffez le four à 300 °C. Faites un roux avec le beurre et la farine, ajoutez le lait et remuez sur feu doux jusqu'à épaississement. Incorporez alors le Bleu (ou équivalent) et le Saint-Paulin (ou équivalent). Faites fondre en remuant. Salez, poivrez, muscadez. Gardez au chaud. Faites cuire les macaroni et égouttez-les à fond. Versez-les dans un plat à gratin beurré, en intercalant au milieu la tomme. Nappez de sauce, parsemez de Beaufort et poudrez de paprika. Faites gratiner à four chaud et servez brûlant quand le dessus est bien doré.

Trop sec et trop salé

Vous aimez bien le fromage de brebis un peu sec, pour sa fine saveur pénétrante. Mais la portion qui vous reste se révèle vraiment trop sèche et d'un goût trop fort pour être présentée en dégustation. Servez-vous en pour donner une saveur originale à un gratin « maison » dont on se souviendra. Cette recette permet par ailleurs d'utiliser un reste de poule au pot ou de volaille pochée au bouillon.

Pour 5 à 6 personnes :
500 g environ de chair de volaille cuite sans os
200 g de fromage de brebis très sec, sans croûte
5 ou 6 navets
3 carottes
4 ou 5 panais (à défaut du céleri-rave)
Poivre noir, persil plat
1 petite boîte de concentré de tomate
Beurre

Peler et laver les navets, les carottes et les panais. Les faire cuire à la vapeur en les conservant un peu fermes. Beurrer assez grassement un grand plat à gratin. Disposer dans le fond une couche de légu-mes en rondelles, mélangés. Poivrer, ne pas saler, et recouvrir d'une couche de chair de volaille émincée pas trop fine-ment. Hacher finement le per-sil et râper le fromage. Délayer la moitié du concentré de tomate avec un demi-verre d'eau chaude et ajouter la moi-tié du persil. Remuer et verser ce mélange sur le contenu du plat. Continuer à le remplir en alternant les légumes en ron-delles et la volaille. Sur le des-sus, verser le reste de concentré également dilué, puis poudrer de fromage râpé et arroser de beurre fondu. Mettre au four à forte chaleur jusqu'à ce que le dessus soit bien doré. Servir brûlant, avec ensuite une salade verte et pour finir une tarte aux fruits : un dîner familial sympa-thique et économique.

Et quand fromage est dessert...

« Une tourte aux pommes sans fromage, c'est comme un baiser sans étreinte », affirme un dicton du Yorkshire.

Sur la voie des mariages heureux, Balzac, dans *La Rabouilleuse*, fit l'éloge des petits fromages d'Olivet servis avec des noix fraîches et des biscuits. Les fondus aux rai-sins ou aux noix sont aujourd'hui des classiques. Pourquoi ne pas tenter de savoureuses associations qui ont l'avantage de réunir, en une même dégustation, un fromage, un ou plusieurs fruits, frais ou secs, et un pain, ou quelque autre contrepoint bien choisi ? C'est là en effet le moyen idéal de faire du fromage un dessert.
• Morbier, Chasselas et petits pains aux raisins
• Tranches d'ananas, Saint-Paulin et toasts grillés
• Fondu au jambon, noix de coco fraîche, kiwis et biscuits à la noix de coco

- Excelsior, myrtilles, brugnons et baguette fraîche
- Carré de l'Est, poires, amandes effilées et pain de seigle
- Cantal peu affiné melon, raisin muscat noir et pain azyme
- Tomme de Savoie, rondelles de bananes, quartiers d'oranges et gressins
- Bleu de Bresse, cerises bigarreaux, noix fraîches et pain de gruau
- Olivet bleu mi-frais, fraises, framboises et crackers
- Tourteau fromagé, quetsches et fromages frais
- Mimolette, prunes et galette briochée
- Gournay, nectarines, pêches et macarons aux amandes
- Brillat-savarin, muscat blanc, fraises et pain viennois
- Gaperon, poires, raisins secs et petits pains au lait
- Fontainebleau, reinettes, fruits confits et crackers
- Chicotin (Saint-Moret), figues fraîches, miel et pain tunisien
- Cheddar, pommes Starkinson et knäckebrot aux graines de sésame
- Chaource, mirabelles et kouglof légèrement rassis
- Coulommiers laitier, fraises, framboises et meringues nature
- Emmental, noix de pacane, oranges sanguines et pain complet
- Feuille de Dreux, pamplemousse rose et biscottes complètes
- Parmesan, olives noires, pastèque, pain tunisien
- Petits-Suisses, noix fraîches, clémentines et sablés nature
- Comté ou Beaufort, abricots secs, olives vertes et pain au cumin

À vous d'essayer, en tenant compte néanmoins de plusieurs éléments :
- éviter les associations de consistances trop voisines (soit toutes très dures ou très tendres) ; les contrastes font mieux ressortir les saveurs : croquant/mou, juteux/moelleux, etc. ;
- ne pas tenter plus de trois ou quatre ingrédients ensemble, sinon on ne distingue plus les goûts ;
- laisser de côté, pour ces « mariages », les fromages de goût trop fort ou très affirmé (Pont-L'Évêque, Maroilles, Roquefort, etc.), à moins de s'en tenir à un classique bien éprouvé (noix ou raisins secs à la limite) ;
- utiliser de préférence pour ces associations des fromages laitiers, voire industriels de bonne qualité : il serait dommage d'imaginer un accompagnement de mangue ou de kakis avec un Saint-Maure fermier qui se suffit largement à lui seul ; mais pourquoi ne pas tenter, avec un Chavignol mi-frais, une goyave bien mûre ?
- inutile de prévoir du beurre, que l'on présente souvent avec un plateau de fromages classiques ; en revanche, on peut éventuellement tartiner des toasts de beurre de cacahuètes

pour accompagner des pâtes cuites, avec des abricots ou des brugnons, ou encore préparer un beurre de noisettes pour tartiner des crackers accompagnant, par exemple, des pâtes pressées avec des clémentines ou des oranges.

EN TOUTE COMPLICITÉ FROMAGÈRE…

« *Appétit vigoureux,*
Tempérament de fer,
Member languit, Member se meurt.
Ami si cher, Qu'a Member ? »

Franc-Nohain

Plusieurs dizaines de pages écrites avec passion et enthousiasme pour parler des fromages, tenter de les faire aimer, de les rendre encore plus séduisants et savoureux, plus attrayants et surprenants, tous plus fabuleusement variés les uns que les autres : cette tentative aura réussi, espérons-le, à conforter dans leurs inclinations ceux qui étaient déjà convaincus de cette imparable vérité, « Fromage, poésie, bouquet de nos repas, que deviendrait la vie si tu n'existais pas ? »

Et pourtant cette défense et illustration du fromage qui se veut convaincante se heurte encore sans doute, ne nous cachons pas la vérité, à l'impassible refus de quelques absolus réfractaires qui restent de glace devant les mille et un enchantements des fromages de nos provinces ou des dernières créations de l'industrie laitière.

Que faire ?

La fabrication d'un fromage, ces histoires de lait caillé et d'égouttage, ça les dégoûte.

La secrète alchimie de l'affinage les laisse totalement indifférents : quinze jours ou six mois, et alors ?

Faire connaissance avec les 300 membres de cette honorable famille les décourage à l'avance.

Découvrir leurs vertus thérapeutiques les ennuie.

Les siècles d'histoire les font bâiller.

Qu'ils soient protégés ou non, ils s'en moquent.

Jamais ils n'en feront des étapes touristiques en France ou ailleurs.

Le plateau de fromages, ils en préparent un pour les autres, parce qu'il faut bien en présenter un.

Seul le vin les intéresse à cette occasion, et quant à la cuisine au fromage, à part un sand-

wich, un gratin ou un soufflé...
Ou bien de temps en temps, une
barquette de fromage blanc
avec des fraises au sucre...

Que faire pour convaincre un
irréductible ? Pour lui faire
découvrir l'ineffable et irremplaçable plaisir de la dégustation d'un fromage de belle et
bonne facture parfaitement
affiné, ce raffinement olfactif
et gustatif à nul autre pareil,
cette sensation de plénitude
subtile et d'achèvement unique... Brie de Meaux, Volnay,
Poilâne, beurre cru des Charentes... Non, vraiment, cette énu-
mération ô combien alléchante
n'éveille pas la moindre lueur
de curiosité dans son regard.

Et si nous appelions à la rescousse Giovanni Giacomo Casanova de Seingalt ? Le fameux
aventurier, célèbre encore plus
pour ses exploits galants que
pour son évasion des Plombs de
Venise, se risque dans ses
Mémoires à des confidences
très précises. Ne déclare-t-il pas,
quand l'une de ses compagnes
occasionnelles, « leste comme
une biche », lui offre en collation du fromage de Roquefort
et du jambon glacé : « Oh ! Que
le Chambertin et le Roquefort
sont d'excellents mets pour res-
taurer l'amour et pour porter
à prompte maturité un amour
naissant ! »

Les vertus aphrodisiaques du
fromage en général et du
Roquefort en particulier vous
font-elles rire ?

Peut-être serez-vous plus sensibles à la suggestion de Pierre
La Poste qui, dans sa *Cuisine
érotique*, propose le Brie pour
deux :

« Parmi tous les fromages
susceptibles de terminer un
repas érotique — huîtres, asperges, caviar, hamburger, banana
split (et autres splits) —, le Brie
est sans doute le plus volup-
tueux. Un bon morceaux doux
et crémeux au point de paraître décadent devrait pratiquement soupirer au moment où
vous le pénétrez et ensuite couler
très lentement sur l'assiette. »

Le potentiel érotique du fromage fut d'ailleurs célébré par
le poète Maurice Rollinat qui,
dans *Les Luxures*, met en scène
sa « belle fromagère » :

« J'étais là, me grisant de sa
vue et si fou
Qu'en la voyant, les mains
dans le fromage mou,
Je la trouvai ensorcelante... »
Et par le chansonnier Victor
Meusy :

« Jamais je n'oublie le temps
où je déjeunai
Avec un morceau de Brie, de
l'amour et du pain frais,
Rose me dit à l'oreille : Dans
ce temps-là vous étiez
Plein d'une ardeur sans
pareille.
Monsieur... Si vous y goûtiez.
Allons, laissez-vous tenter... »

Mais peut-être la véritable
question n'est-elle pas de choisir
un fromage, mais de se laisser
choisir par lui. Entrez dans une

fromagerie visiblement bien fournie, prenez le temps de regarder, de humer, de comparer, de lire les étiquettes.

Les fromages s'offrent aux regards en toute innocence, à nu, modestes sous leur croûte épaisse, provocants dans l'abandon de leur pâte crémeuse ou séduisants comme des petites bouchées à croquer. Attendez un peu... Alors « il » vous fera signe et vous le reconnaîtrez.

ITINÉRAIRE FROMAGER À TRAVERS LES ARRONDISSEMENTS DE PARIS

« La France est le pays le plus succulent de l'Europe ; il n'est pas de territoire plus fertile que le sien en aliments estimés ; chaque département, chaque ville a ses productions d'élite et ses morceaux renommés. Paris a les prémices de ces offrandes. Paris prélève la dîme et la meilleure part de ce que la Providence croyait avoir distribué avec égalité. »

Eugène Briffault,
Paris à table, 1846.

Choix partial et partiel de quelques bonnes adresses

(avec leurs plus belles réussites)

1er arrondissement

BOFHALLES
11 bis, rue des Halles
ou FROMHAL
1, rue de Turbigo
Fournisseurs de grands restaurants.

ELÉTUFE (A. et M.)
La Maison du Bon Fromage,
35, rue du Marché-Saint-Honoré
Se fier à l'enseigne !

TACHON,
38, rue de Richelieu

Chèvres du Sancerrois, Tête-de-Moine (suisse), Maroilles et Époisses (plus quelques saucisses des Alpes).

4e arrondissement

LECOMTE
76, rue Saint-Louis-en-l'Ile
Vacherin, Cantal et Chèvres fermiers.

5e arrondissement

FERME SAINTE-SUZANNE
4, rue des Fossés-Saint-Jacques
Camembert, Brie et pâtes molles ;

petit restaurant avec crêpes et salades au fromage, plateaux de dégustation et raclette suisse.

KRAEMER
60, rue Monge
Brebis des Pyrénées et Chèvres.

7e arrondissement

BARTHELEMY (Roland)
51, rue de Grenelle
Spécialités froumagières : tout, mais en particulier le Camembert de la maison, le Vacherin, le Cantal, le Sainte-Maure, les fromages anglais et les fromages frais aromatisés.

CANTIN (Marie-Anne)
12, rue du Champ-de-Mars
Munster, Chèvre frais et mi-secs, Maroilles, fromages suisses, Comté.

MAISON DU FROMAGE
62, rue de Sèvres
Surtout les fromages de Savoie et d'Auvergne.

8e arrondissement

ANDROUET
41, rue d'Amsterdam
« Choix encyclopédique », « université du fromage », mais en particulier le Brie, le Roquefort, l'Époisses, le Livarot et les triples-crèmes.
Sans oublier le restaurant de dégustation : un tour de France fromager inoubliable en dix ou douze plateaux...

CRÉPLET-BRUSSOL
17, place de la Madeleine
Vaste choix français et européen (Maroilles, Stilton, Gorgonzola).

FERME SAINT-HUBERT
21, rue Vignon
Roquefort, Beaufort, Maroilles, Brie et Chèvres (avec du beurre de chè-

vre), plus le Saint-Hubert de la maison.
Également restaurant (le soufflé au Roquefort).

12e arrondissement

LA FERME D'OLIVIA
4, rue Taine
Neufchâtel, Cantal, Beaufort et Boulette d'Avesnes.

14e arrondissement

LA BOÎTE À FROMAGES
14, rue de l'Amiral-Mouchez
Roquefort, Chambertin, Reblochon, Munster, Vacherin et fromages suisses.

BOURSAULT-VERNIER
71, avenue du Général-Leclerc
Charolais, Boursault affiné, Camembert, Coulommiers, Saint-Nectaire.

15e arrondissement

CANTIN
2, rue de Lourmel
Tous les grands classiques fermiers.

LA FERME DU HAMEAU
(Jean Bouttié)
223, rue de la Croix-Nivert
Chèvres du Berry, Cantal, fromages normands.

16e arrondissement

LILLO
35, rue des Belles-Feuilles
Sainte-Maure, Époisses, Saint-Nectaire, Brie ; beurre cru.

17e arrondissement

CARMES
24, rue de Lévis
Chèvres demi-frais et triples-crèmes, Fontainebleau, Cantal.

ALAIN DUBOIS
80, rue de Tocqueville
Époisses, Vacherin, Chèvres à la saison, Camembert.

GENÈVE
11, rue Lebon
Époisses, Camembert, Sainte-Maure.

SELLIER
79, rue de Courcelles
Valençay, Munster, Roquefort.

18e arrondissement

FROMAGERIE DE MONTMARTRE
9, rue du Poteau
Chèvres, Livarot, Munster.

LES RECETTES

Iconographie

Cet ouvrage a été composé
par Charente-Photogravure à Angoulême
Achevé d'imprimer en mars 1986
sur les presses de l'imprimerie Aubin
à Poitiers-Ligugé
sur couché calypso 115 g pour l'intérieur
et maine 1 face 120 g pour la couverture,
des Papeteries Arjomari.
No d'édition : 135
No d'impression : P 13997
Relié par la Société Industrielle
de Reliure et de Cartonnage (S.I.R.C.)
10350 Marigny-le-Châtel
Dépôt légal : avril 1986